LE VOYAGE D'ULYSSE

L'auteur

Lorris Murail est né le 9 juin 1951 au Havre. Il est diplômé de l'Institut d'études politiques de Paris. Lorris a plusieurs cordes à son arc : il est critique littéraire, critique gastronomique, traducteur de V. S. Naipaul, Stephen King, Michael Moorcock, Jonathan Schell, Dirk Bogarde... mais également coscénariste pour le cinéma. Il a quatre enfants et deux sœurs célèbres, Moka et Marie-Aude Murail, avec qui il a écrit *Golem*. Pour la jeunesse, il a publié plus d'une vingtaine d'ouvrages. Il écrit aussi pour les adultes des romans, des nouvelles et des documents.

Du même auteur, chez Pocket Jeunesse :

La guerre de Troie
Golem - L'intégrale
Les cornes d'ivoire T. 1 et T. 2

Lorris MURAIL

Le voyage d'Ulysse

POCKET JEUNESSE
PKJ·

Collection « Les romans des légendes »

Ouvrage publié sous la direction
de Claude AZIZA et d'Annie COLLOGNAT

Loi n° 49-956 du 16 juillet 1949 sur les publications
destinées à la jeunesse : janvier 2005.

ISBN 978-2-266-14582-4

1

L'assemblée des dieux

La guerre de Troie a duré dix longues années. Que sait-on de ces dix ans ? Pas grand-chose. *L'Iliade* ne nous raconte pas l'interminable siège. Juste quelques épisodes décisifs, qui se déroulent en quelques semaines. Le conflit s'achève par un carnage. Les vainqueurs massacrent les vaincus, les Grecs massacrent les Troyens. Puis les héros rentrent chez eux. Les héros, ce sont toujours les vainqueurs.

Tous sauf un. Ulysse.

Nul pourtant n'aurait mérité plus qu'Ulysse le repos promis au guerrier victorieux. C'est grâce à sa ruse que les Grecs l'ont emporté. Mais Ulysse a un ennemi plus redoutable que Troie. Un dieu a juré sa perte : Poséidon, qui règne sur la mer et même sur la surface de la Terre.

Ulysse voulait retourner chez lui, sur l'île d'Ithaque. Les vents et les flots l'ont ballotté, l'éloignant toujours plus de sa patrie. Après avoir sillonné ainsi la mer Méditerranée, il se trouve à présent plus loin que jamais des siens. De Pénélope, sa femme, de Télémaque, son fils. Ulysse est prisonnier. Prisonnier d'un amour insensé. Depuis sept ans.

Un jour, la tempête a jeté Ulysse sur une île où vit une nymphe nommée Calypso. Il est difficile de dire où se situe cette île. Il n'est même pas sûr que ce soit vraiment une île. Peut-être la grotte où réside Calypso se trouve-t-elle en réalité sur la côte d'Afrique, face à l'Espagne, vers le détroit de Gibraltar. Pour un Grec, pour Ulysse, c'est le bout du monde.

En découvrant le naufragé, Calypso perd la tête. Elle tombe éperdument amoureuse de lui. La nymphe a tout pour le séduire. Elle est belle, très belle. Elle vit dans un pays splendide. De plus, cette fille du géant Atlas fait à Ulysse une offre qu'il est bien difficile de refuser : aime-moi et je te rendrai immortel, aime-moi et tu demeureras éternellement jeune.

Mais voilà sept ans qu'Ulysse refuse, sept ans qu'il s'obstine à demander sa liberté.

Calypso n'est qu'une nymphe de la mer. Sa puissance est grande mais peu de chose comparée à celle des dieux de l'Olympe. Or, si Calypso reste sourde aux prières d'Ulysse, Athéna, elle, les entend. Athéna est la fille de Zeus. Elle est sortie de la tête du dieu des dieux portant déjà ses armes, déjà redoutable. Athéna est déesse de la Guerre. Mais aussi de la Sagesse. Athéna a toujours soutenu Ulysse. Aujourd'hui, elle estime que l'exil du héros n'a que trop duré. Le moment est venu de faire cesser sa captivité.

Les dieux regardent les hommes de haut. Quand leurs affaires ne les appellent pas parmi les mortels, ils résident sur l'Olympe, au nord de la Grèce. Le mont Olympe culmine à près de 3 000 mètres.

Oui, juge Athéna, le moment est venu et il est même propice. Elle va plaider la cause d'Ulysse auprès de son père, le tout-puissant Zeus, profitant de l'absence de Poséidon. Le dieu de la Mer s'en est allé dévorer quelque festin du côté de l'Éthiopie.

Zeus, pourtant, n'est pas de très bonne humeur. Il en veut aux hommes, qui ne cessent d'agir de façon déraisonnable et rendent ensuite les dieux responsables de leurs malheurs. Athéna est habile. Elle détourne la conversation et l'amène sur le sujet qui la préoccupe.

— Ulysse, dit-elle, connaît loin des siens un sort injuste. Cet homme si sage est retenu captif par une nymphe. Elle voudrait qu'il oublie sa patrie mais lui passe ses jours à la pleurer. Mon père, ton cœur est-il donc insensible ? Ulysse ne trouvait-il pas grâce à tes yeux lorsqu'il se battait dans la plaine de Troie ?

Zeus se laisse amadouer sans difficulté. Il admire l'intelligence et le courage du héros grec.

— Ce n'est pas moi qui m'acharne contre lui, répond-il, c'est Poséidon. Eh bien, soit ! Faisons en sorte qu'Ulysse retourne auprès des siens. Poséidon devra bien maîtriser sa colère. Il ne pourra s'opposer seul à la volonté de l'assemblée des dieux !

Le plan d'Athéna est déjà prêt. Elle a l'intention d'envoyer Hermès, ce fils de Zeus qu'on appelle aussi le messager, vers l'île de Calypso. Il aura pour mission d'annoncer à la nymphe la décision des dieux. Quant à elle, elle ira jusqu'au royaume d'Ithaque pour soutenir Télémaque dans sa lutte contre ceux qui, depuis des années, convoitent le trône de son père.

Athéna enfile ses sandales dorées qui la portent aussi vite que le vent. En quelques instants, elle est à Ithaque, sous le porche d'Ulysse. Mais, telle qu'elle apparaît alors, semblable à un guerrier tenant à la main une lance, personne ne pourrait reconnaître en elle une déesse descendue de l'Olympe.

2

Le palais d'Ulysse

Télémaque est plongé dans ses rêves. Mais ce ne sont pas des songes agréables. Il rêve pour ne pas voir ce qui se passe autour de lui. Comme chaque jour, les prétendants se pressent dans la cour du palais. Ils viennent jouer, manger, boire, s'amuser. Et, surtout, ils viennent poser toujours la même question : qui d'entre nous sera choisi ? Qui succédera à Ulysse auprès de la reine Pénélope, sur le trône d'Ithaque ?

Télémaque ne le supporte plus. Alors, quand il ferme les yeux, il imagine le retour de son père. Il est bien difficile de se figurer un homme parti depuis près de vingt ans, un père qu'on n'a pour ainsi dire pas connu. Mais ce retour, forcément, ne pourra être que triomphal et vengeur. Oui, derrière ses paupières closes, Télémaque voit des flots de sang.

Il sursaute, sentant soudain une présence. L'homme qui se dresse devant lui est un étranger. Télémaque sait immédiatement qu'il n'appartient pas à la horde des prétendants qui assiègent sa maison.

— Sois le bienvenu, lui dit-il.

Dans son déguisement guerrier, Athéna ressemble à un homme qui vient de faire un long chemin.

— Tu es chez toi, ajoute Télémaque. Viens manger en ma compagnie. Ensuite, tu me raconteras ce qui t'amène ici.

Télémaque conduit Athéna dans le palais de son père. Il lui fait servir à boire, apporter du pain et des viandes. Il se sent heureux de cette visite, heureux surtout de pouvoir échapper pendant un moment à l'avidité furieuse des prétendants. Mais le répit est de courte durée.

— Regarde-les ! s'exclame-t-il. Rien ne peut les arrêter.

Les prétendants se sont invités à leur tour à sa table. Ils mangent et boivent comme si ce palais était déjà le leur. Puis, quand leur appétit est comblé, ils demandent des chants et des danses.

— Ils dévastent les terres de mon père et ruinent sa maison, se plaint Télémaque. Et pendant ce temps…

Il s'interrompt, les larmes aux yeux, avant de poursuivre d'un ton tragique :

— Pendant ce temps, les os de mon père blanchissent sur je ne sais quel rivage, à moins qu'ils ne soient encore roulés par la mer. Pourtant… ah ! s'il revenait…

— S'il revenait ? l'encourage Athéna.

Cette fois, un sourire éclatant éclaire le beau visage du jeune homme.

— S'il revenait, ces chiens donneraient tout ce qu'ils ont, tout leur or, toutes leurs richesses pour avoir le pied plus léger !

Télémaque s'assombrit de nouveau.

— Mais je n'ai plus d'espoir.

Il se rend compte alors qu'il néglige ses devoirs d'hôte et interroge l'étranger :

— Tu ne m'as pas dit… Qui es-tu, d'où viens-tu, que puis-je pour ton service ?

Athéna invente quelques souvenirs, elle affirme commander un navire et faire du commerce.

— J'ai bien connu Ulysse, poursuit la déesse. Si je suis venu jusqu'ici, c'est parce qu'on m'a dit qu'il était de retour. Je vois qu'il n'en est rien et que les dieux s'obstinent à barrer son chemin. Mais je sais qu'il est vivant... Oui, il vit quelque part, captif sur une île sauvage...

Télémaque dévisage son hôte avec curiosité. Ses propos sont tellement étranges. Il y a un instant, il prétendait avoir cru Ulysse de retour à Ithaque. Et maintenant, voilà qu'il le dit prisonnier sur une île lointaine. Cependant, le jeune homme sent l'espoir renaître dans son cœur. Quelque chose chez ce personnage singulier lui inspire confiance.

— Je ne suis pas devin, glisse malicieusement Athéna, mais je sais que ton père reviendra bientôt. Même s'il était enchaîné, il serait capable de se libérer et de retrouver le chemin de sa terre. Ton père a de la ressource, Télémaque.

Elle contemple longuement le jeune homme, avec une sorte de gourmandise.

— Es-tu donc vraiment son fils ? Oui, oui, cela ne fait aucun doute. Quel beau visage tu as, quels yeux magnifiques... et comme tu lui ressembles !

Télémaque rougit de plaisir avant de répondre d'une voix pleine de tristesse.

— Oui, je suis bien son fils. Du moins, c'est ce que ma mère m'a toujours affirmé ! Mais il m'arrive de le regretter. N'aurait-il pas mieux valu pour moi naître d'un homme ordinaire, tranquille et heureux plutôt que d'un héros sur lequel le sort s'acharne ?

Athéna cherche alors des mots d'encouragement mais aussi à secouer Télémaque, sans hésiter à ranimer sa colère.

— Fais-moi confiance. Les dieux ne t'ont pas abandonné. Mais explique-moi plutôt ce spectacle. Pourquoi cette foule dans ta maison, pourquoi ce festin ? Comment peux-tu accepter qu'on te traite avec une telle insolence ? Vas-tu tolérer longtemps un tel scandale ?

— Le temps est bien loin où mon père régnait sur ce pays, dit Télémaque. Et, crois-moi, sa mort serait moins cruelle que cette situation. S'il était mort devant Troie, il aurait reçu une sépulture digne de lui et tout le monde le célébrerait comme un héros. Mais il a disparu, me laissant sans nouvelles. Me voilà depuis des années plongé dans l'incertitude et le chagrin. Et maintenant, tous les petits chefs des environs, tous les tyrans des îles voisines se pressent ici, prétendant à sa succession.

Il secoue la tête avec rage.

— Ils courtisent ma mère qui n'ose pas les chasser. Elle les laisse dévorer à belles dents tout ce que je possède. Bientôt, ils me dévoreront moi-même !

— Je comprends ta détresse, souffle Athéna. Mais imagine avec moi le retour d'Ulysse. Le voilà, avec son casque, son bouclier et sa lance. Regarde, Télémaque, comme ils fuient tous ! Il reviendra, je te le promets. Mais à toi de jouer, à présent. Demain, tu convoqueras tous les prétendants et tu leur ordonneras de rentrer chez eux. Et toi, tu partiras aux nouvelles. Équipe ton meilleur bateau et laisse le vent te pousser. Interroge tous ceux que tu rencontreras, interroge Zeus et les hommes ! Si tu apprends que ton père est encore en vie, arme-toi de patience et attends une nouvelle année. Si tu apprends sa mort, célèbre ses funérailles et choisis un époux pour ta mère.

Puis la déesse se lève, informant le jeune homme que le temps est venu pour elle de le quitter. Télémaque essaie de retenir l'étranger mais il s'éloigne. Et, soudain, il s'élance vers le ciel à la façon d'un oiseau. Le cœur de Télémaque fait un bond. Alors, il comprend. Celui qui vient de lui rendre visite ne peut être qu'un dieu.

Dans le palais s'élève maintenant la voix de l'aède, poète dont le chant distrait les invités pendant les banquets. S'accompagnant de sa lyre, il vante le courage des Grecs, raconte leurs exploits devant la ville de Troie. Puis il chante le retour des héros. Et, bien sûr, il évoque Ulysse, parti pour un si long voyage et que tous aujourd'hui croient disparu à jamais.

— Qu'il se taise ! s'écrie Pénélope.

La reine est là, entourée de ses prétendants. Elle se bouche les oreilles, pour ne plus entendre le chant douloureux du poète. À la surprise générale, Télémaque fait signe à l'aède de continuer.

— Ce n'est pas sa faute, dit-il à sa mère. Le poète n'est pas responsable de tes malheurs. Ce sont les dieux qu'il faut accuser.

Plein de force depuis qu'il a écouté les paroles d'Athéna, il s'adresse alors à ceux qui occupent la grande salle du palais, vidant les plats et les outres de vin.

— Demain, s'écrie-t-il, je convoquerai le peuple d'Ithaque sur l'agora. Devant eux tous, je vous ordonnerai de quitter ce palais et d'aller dilapider d'autres biens que les miens. Si vous voulez manger, mangez vos bœufs et vos moutons. Si vous voulez boire, buvez votre vin. Devant eux tous, je supplierai Zeus de vous faire payer vos crimes !

Il y a un moment de stupeur dans la grande salle. Les courtisans se demandent quelle mouche a piqué le jeune Télémaque. Mais ils ne se soucient pas longtemps de lui. Très vite, ils recommencent à chanter et à boire, à danser, à chanter et à rire. Malgré tout, l'un d'eux s'interroge :

— Qui est donc cet étranger qui lui a rendu visite ? Avez-vous vu comment il est parti ? Est-ce qu'on n'aurait pas dit qu'il s'était envolé ?

Le lendemain, la foule se presse sur l'agora, la grande place publique. Télémaque fait sensation, arrivant armé de son glaive et d'une lance. Son discours tombe dans un grand silence. Une fois encore, il parle d'Ulysse, dont il attend le retour depuis si longtemps. Dix ans de guerre avant que Troie ne soit vaincue. Puis des années et des années encore d'un voyage qui semble ne jamais devoir finir.

Le jeune homme tend un doigt vengeur en direction des prétendants.

— Et, pendant ce temps, ceux-là se sont installés chez mon père. Ils courtisent son épouse et dilapident ses biens. Mais ils le paieront !

Tandis qu'il parle, des larmes coulent sur son visage. Ému, le peuple se met à gronder. Mais, parmi les prétendants, il en est un dont l'insolence surpasse celle de tous les autres. Il se nomme Antinoos. Antinoos interrompt grossièrement Télémaque. Il se moque de lui puis, changeant de ton, lance des accusations contre la reine Pénélope.

— Pénélope nous trompe ! Elle dit qu'elle choisira l'un d'entre nous quand elle aura fini de tisser sa toile mais ce n'est qu'une ruse !

Chacun connaît l'histoire. Il revenait à Pénélope de tisser le drap mortuaire dans lequel serait enterré Laërte, le père d'Ulysse, quand il aurait quitté ce monde. Or, lasse de repousser les assauts de ses soupirants, la reine a fait une promesse.

— Quand j'aurai achevé de tisser ce drap, a-t-elle annoncé, je cesserai d'attendre le retour d'Ulysse et je prendrai un nouvel époux.

Et, bien sûr, en l'entendant, les prétendants se sont réjouis. Seulement voilà… de façon incompréhensible, l'ouvrage n'avance pas. Tous la voient pourtant tisser pendant le jour. Ce qu'ils ne voient pas, c'est ce que Pénélope fait la nuit. L'ignoble Antinoos, lui, le sait, car il a réussi à faire parler une des servantes de la reine.

— La nuit, clame-t-il avec colère, Pénélope défait ce qu'elle a fait le jour. Et je crois qu'elle a bien l'intention de nous faire languir ainsi jusqu'à la fin des temps. Mais je ne permettrai pas qu'on se paie ma tête de la sorte. Tu nous accuses de te ruiner, Télémaque ? Eh bien, sache que nous boirons ton vin jusqu'à la dernière goutte, que nous dévorerons tes troupeaux jusqu'à la dernière bête. Si Pénélope persiste à refuser d'entendre raison, il ne restera bientôt plus rien dans cette maison !

En riposte, Télémaque répète ses menaces à l'adresse des prétendants. Soudain, une clameur s'élève au-dessus de la foule, car, dans le ciel, deux aigles volant côte à côte viennent d'apparaître. Pour tous, cela ne fait aucun doute, il s'agit d'un signe des dieux. Et tous en comprennent la signification. Télémaque dit vrai. Le jour est proche où le châtiment divin va s'abattre sur les prétendants.

Télémaque en a assez entendu. Il quitte l'agora et se précipite dans le palais. Il monte à sa chambre et appelle une vieille servante en qui il a toute confiance.

— Fais préparer des provisions pour un long voyage, ordonne-t-il. Fais porter au rivage des outres de vin parfumé et de la bonne farine.

La servante acquiesce sans cacher son étonnement.

— Je quitte Ithaque dès demain, lui annonce Télémaque. Peut-être pour longtemps, peut-être pour toujours. Promets-moi de garder le secret.

— Mais… la reine, murmure la vieille femme.

— Elle ne doit rien savoir, répond le jeune homme d'un ton ferme. Douze jours, tu attendras douze jours avant de la prévenir que je suis parti sur les mers.

Jamais Télémaque n'a senti en lui une telle assurance. Demain, il partira à la recherche des anciens compagnons de son père. Si les dieux lui sont favorables, il rencontrera bientôt le puissant roi Ménélas, dont Ulysse fut le plus fidèle allié.

3

Prisonnier de Calypso

La vie d'Hermès n'est pas de tout repos. Ce fils de Zeus a reçu de nombreuses charges. Il est le dieu des Marchands mais aussi – y aurait-il un rapport ? – des Voleurs et des Menteurs. Et encore des Athlètes. Mais ce n'est pas tout. Il lui revient également d'accompagner les âmes vers le royaume des morts. Pourtant, sa principale mission est autre. Hermès, par-dessus tout, est le messager des autres dieux et notamment de Zeus, le maître de l'Olympe.

Aujourd'hui, Hermès n'a pas envie de travailler. Impossible cependant de désobéir aux ordres de Zeus. Le messager ronchonne, mais il fait ce qu'on lui demande. Il attache à ses pieds ses sandales dorées, il coiffe son chapeau pourvu de deux ailes et s'élance sur la mer, à la vitesse du vent. Il ne vole pas, il ne nage pas, il court. Et c'est un spectacle extraordinaire que de le voir enjamber les vagues sans qu'une goutte d'eau semble le mouiller.

Zeus l'envoie au bout du monde, chez une nymphe nommée Calypso, qui vit là dans une grotte immense. Calypso, paraît-il, retient prisonnier le vaillant Ulysse, un mortel dont les dieux se soucient énormément, ces derniers temps.

Quand il parvient au terme de son voyage, Hermès découvre un paysage dont il ne peut nier la splendeur. Calypso est seule dans sa caverne. Assise auprès d'un grand feu, elle chante de sa voix ravissante. Elle est belle, sa terre est riche d'arbres odorants, de fleurs, d'oiseaux, de vignes, de sources fraîches. Hermès se demande ce qu'Ulysse pourrait bien désirer de plus. Mais là n'est pas son problème.

Dès qu'elle l'aperçoit, Calypso le reconnaît. Un sombre pressentiment emplit son cœur mais elle n'en laisse rien paraître.

— Quel bon vent t'amène, cher Hermès ? Ce n'est pas souvent qu'on te voit par ici.

Ce disant, elle lui sert aimablement l'ambroisie et le nectar, qui sont la nourriture et la boisson des dieux.

— Ce que je fais ici ? répond enfin Hermès. Oh ! franchement, je le fais contre ma propre volonté. Quel plaisir aurais-je à courir ainsi à l'autre bout du monde ? Et il n'y a même personne, dans cette contrée déserte, pour m'offrir un beau sacrifice. J'obéis aux ordres de Zeus, voilà tout.

— Je t'écoute, dit Calypso avec appréhension.

— Zeus prétend que tu retiens ici un mortel, un héros qui s'est illustré à la guerre de Troie et qui, depuis, n'a connu que des misères. Eh bien, il faut le renvoyer. Zeus estime que son destin n'est pas de finir ses jours sur ce rivage, loin des siens.

Calypso ne peut réprimer un frisson. Ses pires craintes se confirment.

— Ce mortel, c'est moi qui l'ai sauvé ! proteste-t-elle. Son bateau était fracassé, tous ses compagnons avaient péri. Je l'ai recueilli, je l'ai réconforté, je l'ai nourri. Je lui ai promis l'immortalité et la jeunesse éternelle. Mais les dieux sont jaloux, voilà la vérité. Ils se permettent tout, eux. Mais ils ne supportent pas qu'une déesse aime et soit aimée.

Elle soupire tristement puis ajoute :

— Mais si Zeus en a décidé ainsi, qu'y puis-je ? Qu'il parte donc. Je n'ai pas de navire et d'équipage pour le ramener chez lui. À lui de se débrouiller.

Quand elle lève les yeux, Hermès a disparu, lancé déjà dans une nouvelle course.

Comme chaque jour depuis sept ans, Ulysse se tient assis sur le rivage, face à la mer, et laisse couler ses larmes. La nuit, c'est différent. Il lui faut bien rentrer dans la caverne. La nuit, il tient compagnie à la jolie nymphe Calypso. Non qu'il le souhaite, non, vraiment, mais elle insiste tant.

Calypso l'a rejoint. Et elle lui adresse les mots qu'il attend en vain depuis si longtemps.

— Tu n'as que trop pleuré, mon pauvre ami. Allez, va, je ne veux plus te voir te lamenter sur ce rivage. Voici des outils. Il y a près d'ici de grands arbres. Construis un radeau, hisse une voile, et moi, je ferai souffler une douce brise. Si les dieux te sont favorables, tu rentreras chez toi sain et sauf.

Ulysse lui jette un regard méfiant.

— Une douce brise ? Tu m'envoies sur des mers où les meilleurs vaisseaux n'osent pas s'aventurer et tu voudrais que j'en triomphe sur un misérable radeau ? Je sais bien quel sort tu espères me réserver !

Calypso ne peut s'empêcher de sourire.

— Toujours aussi prudent, cher Ulysse. Mais tu me connais mal. Je ne souhaite que ton bien, tu devrais le savoir. Je ne te dis pas que ton retour sera facile. Mille périls se dresseront encore sur ton chemin. Oui, si tu les devinais comme je les devine, jamais tu ne me quitterais. Mais va, puisque tu le veux, reprends ta place auprès de cette épouse que tu aimes tant.

Incapable de dissimuler son dépit, la nymphe ajoute alors :

— J'ai du mal à croire qu'elle soit plus belle que moi. A-t-on jamais vu une femme capable de rivaliser en beauté avec une déesse ?

Ulysse est assez sage pour ne pas froisser davantage Calypso.

— Je le sais bien ! s'exclame-t-il. Pénélope n'est qu'une mortelle et elle ferait pâle figure auprès de toi. Mais je n'ai qu'un seul désir. Retrouver ma patrie. Si de nouvelles épreuves me sont envoyées, je les affronterai. J'ai déjà tant souffert. Je peux souffrir encore un peu…

Alors, Calypso entraîne Ulysse en direction de sa caverne. Pour rien au monde elle ne renoncerait à passer une dernière nuit dans les bras du plus séduisant des mortels.

Le lendemain, armé d'une hache de bronze à manche d'olivier, Ulysse abat vingt arbres. Travaillant sans relâche, il taille les troncs et les unit de façon à former un radeau. À l'avant, il plante un mât. À l'arrière, il fixe un gouvernail. Au terme du quatrième jour, alors qu'il achève son œuvre, il voit approcher Calypso. Elle lui apporte le tissu dont il fera ses voiles.

Au moment où Ulysse s'apprête à mettre à l'eau son embarcation, la nymphe est encore là. Elle lui offre des habits parfumés, une outre de vin et une d'eau, ainsi que des vivres pour un long voyage. Calypso a tenu sa promesse : c'est une brise douce et tiède qui gonfle les voiles et pousse le radeau vers le large.

S'orientant grâce aux étoiles, Ulysse vogue vers l'est, vers Ithaque. Du moins l'espère-t-il. Pendant dix-sept jours, il navigue sans encombre. La chance aurait-elle enfin tourné ? Le sort contraire qui s'oppose à son retour depuis tant d'années se serait-il finalement dissipé ? Ulysse le croit encore au moment où apparaissent, dans le lointain brumeux, les rives de la Phéacie. La Phéacie est une île hospitalière, située au nord d'Ithaque, à quelques centaines de kilomètres seulement. Plus tard, bien plus tard, on appellera cette île Corfou.

Mais il n'y a pas de répit pour les héros.

Poséidon, l'ennemi juré d'Ulysse, était parti festoyer en Afrique, du côté de l'Éthiopie. Le voilà repu et, hélas, de retour. Perché au sommet d'une montagne, il contemple le large. Et c'est ainsi qu'il découvre le radeau et son unique passager.

— Misère ! s'écrie Poséidon avec colère. Je vois que les dieux ont profité de mon absence pour changer leurs plans. Voilà Ulysse tout près de toucher au but. S'il aborde cette île, ses malheurs prendront fin. Mais je n'ai pas dit mon dernier mot !

Impitoyable, le dieu s'empare de son trident. Il lève un vent furieux qui bouscule les nuages et fait enfler la mer. Tandis que la bourrasque se déchaîne, une brume épaisse noie le rivage et les flots. Le ciel s'obscurcit. Soudain, c'est la nuit en plein jour.

Les jambes d'Ulysse flageolent. Le héros de Troie est brusquement terrassé par la terreur. Et il se souvient des paroles de Calypso.

— Ah ! Elle me l'avait bien dit. Jamais on ne me laissera atteindre ma patrie en paix. Cette fois, c'est la mort qui m'attend.

Ballotté par les rafales de vent, désespérément agrippé à la barre, il se lamente.

— Que n'ai-je péri sous les lances des Troyens ! Au moins, j'aurais eu une tombe.

Car la tombe qui se creuse sous les grandes pièces de bois de son radeau est de celles qui ne rendent jamais les corps.

Une vague monstrueuse déferle vers lui. Elle soulève le radeau, le retourne. Dans un fracas sinistre, le mât se brise, et les flots emportent les voiles dans un fleuve d'écume.

Ulysse lâche prise. La mer l'engloutit, la mer le noie. Le poids des habits offerts par Calypso l'entraîne vers les profondeurs. Il lutte, se débat et parvient à remonter vers la surface, crachant une eau au goût âcre. Dans un ultime effort, il nage vers le radeau. C'est sa seule chance. Il se hisse et rampe jusqu'au milieu de son embarcation démantelée. Là, impuissant, il confie son destin aux caprices des flots.

Mais, si Poséidon règne sur la surface des mers, les eaux abritent d'autres divinités. C'est à l'une d'elles qu'Ulysse va devoir son salut. Elle s'appelle Ino. Jadis simple mortelle, elle a aujourd'hui le rang de déesse. Entendant les cris de détresse du héros, elle le prend en pitié. C'est sous la forme d'une mouette qu'elle sort de l'onde et vient se poser sur le bord du radeau.

— Pauvre ami, dit-elle, pourquoi Poséidon te poursuit-il de sa haine ? Écoute-moi, et tu échapperas à sa fureur. Ôte ces vêtements, abandonne ton radeau et jette-toi à l'eau. La Phéacie est proche. Il te faut nager jusqu'à son rivage.

Ino a tiré sur le radeau une sorte de voile.

— Enveloppe ta poitrine dans ce voile, ajoute-t-elle. Grâce à lui, tu ne craindras plus ni la douleur ni la mort. Quand tu seras parvenu sur la rive, donne-le à une vague et continue ton chemin sans te retourner.

Ulysse ouvre la bouche pour répondre mais, déjà, la déesse a disparu. En lui, comme souvent, la méfiance l'emporte. Depuis des années, la mer est sa pire ennemie. Comment pourrait-il suivre le conseil de cette créature venue lui dire de se jeter à l'eau ?

— Non, non, gémit-il. Une nouvelle fois, les dieux me tendent un piège. La terre est bien trop lointaine pour que je tente ma chance à la nage.

Mieux vaut rester sur ce radeau tant que quelques morceaux de bois tiennent encore ensemble.

C'est le moment que choisit Poséidon pour lancer contre lui une vague terrifiante. La suite ressemble à ce qui se passe quand une bourrasque souffle sur une meule de foin, éparpillant la paille aux quatre coins du champ. Le radeau se disloque et les poutres se dispersent. Ulysse a juste le temps d'en attraper une et de l'enfourcher comme un cheval fou. Il se dépêche alors d'agir selon les recommandations d'Ino. Il ôte les habits offerts par Calypso, se drape dans le voile et plonge dans les eaux sombres.

Poséidon n'a pas perdu une miette du spectacle.

— Fort bien, ricane-t-il. Nage donc jusqu'en Phéacie. D'ici là, je te réserve encore quelques surprises…

Il souffle sur les flots, poussant vers le naufragé une tempête de vent et d'eau écumante. Puis il s'éloigne, satisfait. Trop vite pour voir qu'Athéna veille. La déesse s'empresse alors d'intervenir, barrant la route aux vents et apaisant les vagues.

Ulysse pourtant n'est pas au bout de ses peines. Il dérive pendant deux jours et deux nuits. Au troisième jour, enfin, il aperçoit la terre toute proche. Mais pas un endroit où aborder. La côte n'est faite que de rochers et d'écueils infranchissables.

— Malheur ! s'écrie Ulysse. Je croyais venue la fin de mes souffrances. Mais nulle part où planter mes deux pieds. Si je ne me fracasse pas contre ces rochers, je vais périr noyé.

Malgré son épuisement, il se remet à nager, longeant la côte. Enfin, il parvient à l'embouchure d'un fleuve, sur une plage de sable, abritée des vents. Il sort de l'eau et s'affale sur le sol, embrassant cette terre qu'il n'a plus touchée depuis des semaines. Son corps meurtri est couvert d'égratignures ; tous ses muscles, tous ses os lui font mal.

Ulysse se sent tout près de défaillir. Il trouve cependant la force de détacher le voile d'Ino et de le rendre à la mer.

— Ah ! Je n'en peux plus. Si je reste ici, le froid de l'aube va m'achever. Et si je parviens à me hisser là-haut, dans ces bois que j'aperçois, qu'arrivera-t-il ? Je vais m'endormir et, alors, quelle proie facile pour je ne sais quel fauve !

Mais il n'y a pas de meilleure solution. Ulysse se traîne jusqu'au sommet d'une colline boisée et, là, se laisse tomber à l'abri de deux oliviers entrelacés. Les branches sont si serrées qu'aucune brise ne pénètre ni la moindre humidité. Ulysse s'enfouit dans un épais lit de feuilles et, aussitôt, Athéna verse sur ses yeux le plus profond des sommeils.

Sa dernière pensée est pleine d'inquiétude. Ces Phéaciens sont-ils des sauvages ou des gens accueillants ? Non, sans doute, sa dernière pensée n'est pas tout à fait celle-là. Mais plutôt :

« Comment pourrais-je me présenter devant eux ? C'est que me voilà aussi nu qu'au jour de ma naissance… »

4

Nausicaa

Au réveil, la belle Nausicaa se souvient d'un rêve troublant. La voilà persuadée qu'il lui faut se rendre sans tarder au bord de la rivière pour y laver ses robes les plus précieuses. Dans ce songe, il lui semble en effet deviner comme une promesse, celle d'un prochain mariage. Chez les Phéaciens, les princesses se comportent avec simplicité : Nausicaa, fille du roi Alcinoos, va battre elle-même son linge, accompagnée de ses servantes.

Parvenues sur la rive, les jeunes filles plongent les vêtements dans les lavoirs et les foulent du pied jusqu'à ce que l'eau soit claire. Quand elles jugent que le linge est assez propre, elles l'étendent au soleil, sur le gravier de la berge.

Puis princesse et servantes se baignent et passent sur leur corps un peu d'huile douce. Ensuite, après avoir mangé un peu, elles se lancent dans un jeu de balle.

C'est là qu'intervient une fois encore Athéna. Au cours de la nuit, la déesse a visité les rêves de Nausicaa afin de la conduire vers la rivière dès son réveil. À présent, elle se mêle en secret aux jeux des jeunes filles et fait rouler soudain la balle dans les profondeurs de l'eau. Et il se produit ce qu'elle avait prévu : des cris et des rires.

Ulysse dort toujours, enfoui dans son lit de feuilles, sous les oliviers. Les exclamations de Nausicaa et de ses servantes le tirent du sommeil. Il se lève et se souvient qu'il est nu. Alors, il arrache à une branche un rameau assez dense pour cacher ce que la pudeur lui interdit de montrer.

Quand il apparaît, les jeunes filles poussent des hurlements d'effroi et prennent la fuite. Voir un homme nu ne suffirait pas à les effrayer à ce point. Mais Ulysse, à peine rescapé de son naufrage, offre un spectacle pitoyable. Son corps malmené par la mer est encore couvert d'écume, d'algues et de sang. Toutes ont donc fui. Toutes sauf une. Nausicaa est restée impassible, contemplant sans crainte l'inconnu sorti des bois.

Ulysse se garde bien d'approcher davantage. De loin, il lance à la princesse des paroles rassurantes. Dans son désir de lui plaire, il en rajoute même un peu.

— Es-tu donc une déesse descendue de l'Olympe ? Pour être aussi belle, tu dois être au moins fille de Zeus !

Pas de réponse. Alors, il poursuit :

— Comment ? Serais-tu une simple mortelle ? Mais quelle chance ont tes parents d'avoir une telle fille ! Quelle fierté que celle de ta famille. Et quel bonheur pour l'homme qui saura te séduire ! Jamais, ma foi, je n'ai vu créature d'une telle beauté.

Bien, maintenant qu'il pense avoir assez flatté la jeune fille, il passe à la seconde partie de son discours et s'efforce de susciter sa pitié.

— Tu as devant toi le plus malheureux des hommes, lui dit-il. Vingt jours que je me bats sur un radeau contre des vagues furieuses. Ah ! Je ne vois plus la fin de mes souffrances. Et maintenant que la mer m'a jeté sur ce rivage… quel sort m'attend sur cette île ? Je ne connais que toi, ici. Auras-tu pitié de moi ? Me donneras-tu des haillons pour me couvrir ? M'indiqueras-tu le chemin de la ville la plus proche ?

Nausicaa a écouté Ulysse avec patience. Et elle lui fait la réponse qu'il espère.

— Chacun de nous doit accepter le destin que les dieux lui réservent, étranger, lui dit-elle. Mais puisque te voilà parmi nous, ne crains plus rien. Tu auras de quoi te vêtir et tout ce qu'il te faudra. Je suis Nausicaa, la fille du roi des Phéaciens. Et mon père Alcinoos est connu pour sa bonté.

Se tournant vers ses servantes, elle les appelle :

— Revenez ! Vous n'avez rien à craindre de cet homme. Venez-lui plutôt en aide, je crois qu'il en a bien besoin. Apportez de l'huile et une tunique propre. Venez ! Venez ! Et lavez-le dans la rivière.

Ulysse accepte la fiole d'huile et la tunique mais… pas davantage.

— Éloignez-vous, dit-il aux servantes. Je me laverai tout seul. Je rougis à la seule pensée de me mettre nu, au bain, parmi d'aussi jolies filles !

Quand Nausicaa voit reparaître Ulysse lavé, parfumé et vêtu de frais, elle est éblouie. Il lui semble maintenant tellement plus beau, plus grand, plus fort.

— Portez-lui de quoi manger et boire, ordonne-t-elle à ses servantes.

Puis, tandis que le héros se jette avec avidité sur la nourriture, la princesse réfléchit. Cet homme lui plaît, sans aucun doute. Mais… justement… peut-elle se permettre de retourner au palais de son père en sa compagnie ? Soucieuse de sa réputation, elle indique à Ulysse qu'elle va le conduire jusqu'à proximité de la ville mais pas plus loin.

— Allons ! Debout ! lance-t-elle au héros. Tu suivras ma voiture jusqu'au bois consacré à Athéna. Là, tu attendras un moment avant de poursuivre seul ton chemin. En ville, demande le palais d'Alcinoos. N'importe quel enfant te l'indiquera.

Nausicaa fait claquer son fouet et les mules avancent, tirant son char, tandis qu'à pied suivent Ulysse et les servantes. Dans le bois d'Athéna, tandis qu'il patiente, Ulysse implore la déesse :

— Toi qui m'as abandonné quand la colère de Poséidon s'abattait sur moi, c'est le moment de me venir en aide. Fais que les Phéaciens m'accueillent en ami !

Il repart, désormais seul, et parvient bientôt devant la ville. Afin de lui éviter tout ennui, Athéna noie sa silhouette dans une sorte de brume, qui le rend invisible. Pourtant, quand Ulysse appelle une petite fille qui passe près de lui, une cruche à la main, elle semble bel et bien le voir sans difficulté. Rien d'étonnant. Cette petite fille, c'est encore et toujours la déesse Athéna.

— Mon enfant, lui demande Ulysse, peux-tu me conduire au palais d'Alcinoos ? Je suis étranger dans ce pays et n'y connais personne.

— Suis-moi, répond la petite fille. Mais reste silencieux. Les étrangers ne sont pas toujours les bienvenus dans cette ville.

Ulysse marche sur ses traces, admirant au passage avec envie les navires élancés qu'il aperçoit dans le port de cette cité de marins. Devant le magnifique palais du roi, Athéna donne à son protégé un dernier conseil :

— Adresse-toi d'abord à la reine Arété. Si tu sais toucher son cœur, tes chances sont grandes de revoir bientôt ta patrie.

Et elle disparaît.

Derrière ses murailles de bronze et ses portes d'or, le palais est somptueux. Richement décoré, il est pourvu de jardins bénis par les dieux où pommiers, figuiers, oliviers, grenadiers produisent des fruits tout au long de l'année, sans répit.

Ulysse ne s'attarde pas. Allant inaperçu parmi les dizaines de servantes qui filent, tissent ou broient le grain doré du blé, il marche droit vers la grande salle. C'est là que règnent les souverains de Phéacie. Ulysse ignore Alcinoos qui boit, coupe en main, parmi ses conseillers, et se jette aux pieds de son épouse Arété. Alors, comme par miracle, la nuée qui le dissimule s'évanouit. Une exclamation de stupeur accueille l'apparition du héros.

— Arété ! s'exclame-t-il. Je me prosterne à tes genoux pour implorer ton aide. J'ai souffert plus que je ne peux te le dire. Je n'ai pas revu les miens depuis d'innombrables années. Je t'en supplie, permets-moi de regagner ma patrie.

Il va vers la haute cheminée et s'assoit dans les cendres, au bord de l'âtre, en signe de supplication. Aussitôt, Alcinoos lui ordonne de se relever et de prendre un siège auprès de lui.

— Qu'on lui apporte du pain et du vin ! Et toi, cher hôte, sois rassuré. Tes peines sont terminées. Bientôt, tu rentreras chez toi, d'aussi loin que tu viennes.

Après un court silence, il ajoute :

— Que tu sois homme… ou dieu.

— Chasse cette idée de ton esprit, répond Ulysse. Je ne suis qu'un mortel… et même le plus malheureux des hommes. Demain, je vous raconterai tout ce que j'ai enduré.

On le laisse manger puis, comme il se fait tard, tous ceux qui entourent le roi phéacien se retirent. Il ne reste plus dans la grande salle qu'Ulysse, Alcinoos et Arété. C'est le moment que choisit la reine pour poser enfin la question qui l'intrigue depuis que l'étranger a fait son apparition.

— Dis-moi… D'où viennent donc tes habits ?

Ulysse hésite, embarrassé. Il comprend bien sûr qu'Arété a reconnu ces étoffes qu'elle a elle-même tissées avec ses servantes. Au lieu de répondre directement, il se lance dans un récit de ses aventures les plus récentes. Il parle de Calypso qui l'a retenu prisonnier pendant sept ans, du radeau qu'elle lui a permis de construire, des dix-sept jours de mer et de son espoir de revoir sa patrie. Il raconte enfin la colère de Poséidon et le terrible naufrage qui l'a jeté sur la côte phéacienne.

— Mais ces habits ? insiste Arété.

Ulysse explique alors comment les jeunes filles qu'il a rencontrées au réveil ont pris soin de lui, insistant sur la noblesse de Nausicaa.

— Elle a fort bien fait, juge Alcinoos. Sauf qu'elle a oublié ses devoirs en ne te conduisant pas jusqu'au palais.

Avec son habileté légendaire, Ulysse prend la défense de la fille du roi.

— Ne la blâme surtout pas. C'est moi qui ai refusé de la suivre. Je craignais ta colère en la voyant arriver en compagnie d'un étranger.

— Tu me connais mal, répond Alcinoos. Je fais toujours passer la justice avant tout. Et, ma foi, quand je te vois, si beau, si sage, je rêve de pouvoir donner ma fille à un tel homme. Si tu voulais rester, je te comblerais de richesses. Mais bien sûr, si tu désires partir, tu peux compter sur moi. Je mettrai à ta disposition un navire et des rameurs.

Ulysse le remercie, le cœur empli de joie et d'espoir.

Des servantes viennent d'entrer. Elles annoncent à Ulysse qu'un lit a été préparé et qu'il va pouvoir dormir dans un confort qu'il n'a plus connu depuis longtemps.

Le lendemain, une foule nombreuse se presse au palais. Une rumeur a couru la ville, disant qu'il y a chez Alcinoos un étranger beau comme un dieu. Et cet homme, paraît-il, a vécu des aventures extraordinaires.

En l'honneur de son hôte, le roi fait préparer un énorme festin. Huit cochons, douze brebis et deux bœufs sont sacrifiés pour rassasier l'assistance. Et, afin de distraire ses invités, Alcinoos a demandé qu'on aille chercher l'aède, pour qu'il chante comme il sait si bien le faire les exploits des héros et des dieux.

Le poète est conduit jusqu'au centre du festin. On lui fait toucher la cithare, instrument dont il s'accompagne, on lui met dans la main une coupe de vin. Il faut l'aider. L'aède ne voit pas. Il est aveugle, comme, dit-on, l'était Homère.

Bientôt, sa voix s'élève. Aussitôt, Ulysse est saisi par l'émotion. L'aède chante en effet une histoire déjà ancienne, dont les personnages principaux se nomment Achille, Agamemnon… et Ulysse. Elle raconte une querelle entre les trois futurs alliés, peu avant que ne commence la terrible et longue guerre de Troie.

Ulysse baisse la tête et enfouit son visage dans les plis de son manteau pour que personne ne le voie pleurer. Depuis ce lointain épisode de sa vie, vingt ans se sont écoulés. Un intermède de jeux, d'affrontements sportifs et de danses lui permet de se remettre. Puis le festin reprend. Ulysse ne peut s'empêcher d'appeler l'aède auprès de lui. Il lui offre une tranche de porc ruisselant de graisse et lui demande :

— Dis-moi, toi qui chantes si bien les exploits des héros… connais-tu l'histoire de ce cheval de bois qu'Ulysse fit entrer dans la ville de Troie ? Ah ! J'aimerais tellement l'entendre.

Le poète en effet la connaît. Qui, d'ailleurs, ne connaît pas l'histoire du grand cheval de bois que les Troyens ont laissé entrer dans leurs murs, croyant à une offrande divine ? Qui ne connaît pas ce terrible épisode sur lequel s'achèvent dix ans de guerre : les Grecs cachés dans le cheval qui sortent à la nuit et massacrent leurs ennemis troyens, pris par surprise. En écoutant le chant de l'aède, Ulysse est de nouveau terrassé par le chagrin et la nostalgie. Cette fois, ses larmes sont si abondantes, ses sanglots si violents, qu'il ne peut les cacher. Et, cette fois, il ne peut échapper à la curiosité d'Alcinoos.

— Cesse donc ton chant, dit le roi à l'aède. Je crois qu'il plonge notre hôte dans la tristesse.

Puis, s'adressant à Ulysse, il lui demande :

— N'est-il pas temps de parler et de nous apprendre ton nom ? Qui es-tu, d'où viens-tu, et pourquoi ces larmes ? Tu souhaites qu'un navire t'emmène vers ta patrie. Mais comment pourrais-je t'y aider si je ne sais pas de quelle terre tu viens ?

Ulysse hoche la tête.

— C'est vrai. Le chant de l'aède m'a bouleversé. Et toi, tu voudrais savoir les raisons de ma peine. Désires-tu donc redoubler ma tristesse et mes larmes ?

Il hésite encore avant de se résoudre à entreprendre son récit.

— Par où commencer ? Comment vous dire toutes les souffrances que m'ont envoyées les dieux ?

— Ton nom ?

— Ulysse ! Je suis Ulysse, fils de Laërte et héros de Troie. Ulysse dont le monde entier vante le courage et la ruse. Ulysse d'Ithaque...

Un silence stupéfait accueille cette révélation.

— Oui, Ulysse... qui depuis vingt ans n'a revu ni son épouse ni son fils. Fort bien. Puisque l'aède connaît mon histoire jusqu'à la chute de Troie, je vais à présent lui apprendre la suite. Voici le récit de mon retour. Quelques semaines auraient dû suffire. Or, j'ai quitté Troie il y a dix ans.

5

Le récit d'Ulysse : Polyphème le Cyclope

« Tous, nous ne pensions qu'à retourner auprès des nôtres, après une si cruelle absence. Pourtant, dès les premières heures, les dieux nous furent contraires. Une terrible tempête nous guettait derrière l'horizon. Elle s'abattit sur nous avec brutalité, brisant les mâts, déchirant les voiles. Quand, enfin, elle s'apaisa, nos douze navires furent la proie d'un courant qui nous fit dériver, pendant neuf jours, loin de notre route. Vers le sud puis vers le couchant. Nous voguions maintenant sur des mers inconnues, mystérieuses et redoutables.

Enfin, une île se présenta.

Ce fut un soulagement de pouvoir toucher terre. Trouver de l'eau, manger à notre faim, prendre un peu de repos. L'endroit ne paraissait pas hostile. J'envoyai trois hommes reconnaître le pays. Les habitants de l'île se nommaient les Lotophages. Curieux nom et, surtout, curieuse coutume. Car ils s'appelaient ainsi parce qu'ils se nourrissaient uniquement de fleurs de lotus.

Lorsqu'ils virent approcher mes compagnons, les Lotophages les accueillirent de façon pacifique. Ils leur offrirent même leur mets préféré, la fleur du lotus. Inquiet de ne pas les voir revenir, je les fis chercher. Les trois hommes semblaient ne plus savoir qui ils étaient ni d'où ils venaient. Je découvris ainsi l'étrange propriété du lotus : cette fleur a le pouvoir de plonger dans l'oubli celui qui la consomme.

Il fallut ramener de force les trois malheureux vers le rivage et les enchaîner au fond du bateau. Ils étaient en pleurs, égarés dans leur terrible ignorance.

— Tous à bord ! m'écriai-je. Quittons cette île sans perdre un instant !

Je craignais qu'à s'attarder sur la terre des Lotophages, d'autres parmi nous ne sombrent dans l'oubli. Nous sautâmes sur les navires et empoignâmes les rames. Je vis avec soulagement l'eau blanchir sous les coups de nos avirons.

En était-ce enfin terminé de nos tourments ? Hélas… ce n'était que le début. L'île où nous abordâmes ensuite semblait si belle que nous ne pûmes résister au désir de l'explorer. À première vue, cette terre riche et verdoyante n'était peuplée que de chèvres. Ce fut pour nous une aubaine. Armés de nos arcs et de nos lances, nous leur donnâmes la chasse. Elle fut des plus fructueuses, ce qui nous permit de festoyer jusqu'à la tombée du jour. Après quoi nous dormîmes sur la grève, près de la mer.

Tout en mangeant, je scrutai les hauteurs. Là-bas, sous le ciel, s'élevaient des fumées. L'île était habitée. Il me semblait même entendre des voix.

Le lendemain matin, je convoquai tous les équipages pour leur annoncer mes intentions :

— Vous tous, restez ici. Seuls m'accompagneront les hommes de mon navire. Je suis curieux de savoir qui sont ces gens.

L'endroit que je désirais atteindre était tout proche. Il suffit de quelques coups de rame. De la crique, nous apercevions une haute caverne enfouie dans la verdure.

J'ordonnai à douze de mes meilleurs compagnons de me suivre, laissant aux autres la garde du bateau. J'avais pris avec moi une outre en peau de chèvre emplie de vin noir.

Nous eûmes tôt fait de parvenir à la caverne et de découvrir que son propriétaire était absent. Elle abritait en revanche des dizaines d'agneaux et de chevreaux, ainsi que quantité d'énormes fromages. L'inquiétude de mes hommes était perceptible.

— Dépêchons-nous de prendre ces fromages et d'emporter quelques bêtes !

— Oui, faisons vite et filons !

Mais je n'étais pas de leur avis. Ma curiosité était éveillée. Je voulais absolument savoir qui habitait cette caverne et de quelle façon nous serions accueillis. Ah ! J'aurais mieux fait de les écouter.

Nous allumâmes un feu, égorgeâmes un chevreau et le mîmes à cuire tandis que nous mangions des fromages. C'est ainsi que notre hôte nous trouva quand il ramena à la caverne son troupeau de gras moutons, portant une énorme brassée de branches mortes destinées au feu de son souper.

Ce n'était pas un homme mais un monstre, haut comme une montagne et le front percé d'un œil unique. Il jeta son chargement à terre avec une telle violence que mes compagnons, épouvantés, fuirent à toutes jambes jusqu'au fond de la caverne.

Le géant fit alors entrer sous la voûte les femelles à traire, laissant au-dehors les boucs et les béliers. Puis, sous nos yeux horrifiés, il poussa devant l'entrée un rocher colossal. Même à nous tous, nous n'aurions pas fait bouger ce roc d'un pouce.

À présent, nous étions prisonniers dans la grotte obscure.

Sans paraître remarquer notre présence, le Cyclope entreprit de traire une à une toutes les bêtes de son troupeau. Cela fait, il ranima le feu. Les grandes flammes nous trahirent, éclairant les recoins sombres où nous nous dissimulions.

— Qui êtes-vous, étrangers ? lança-t-il d'une voix qui grondait comme le roulement du tonnerre. Que faites-vous chez moi ? Venez-vous commercer ou piller ?

À chacune de ses paroles, le sol tremblait sous nos pieds. Le cœur battant à en éclater, je lui répondis :

— Nous sommes grecs et revenons de Troie, où nous nous sommes couverts de gloire sous la conduite d'Agamemnon. Nous espérions rentrer chez nous mais les vents nous ont poussés loin de notre route. Nous voilà égarés et à tes genoux pour t'implorer de nous offrir l'hospitalité. Tu ne peux nous la refuser, sous peine d'offenser les dieux. Car Zeus exige qu'on reçoive dignement celui qui en fait la demande.

Son rire sans pitié ne présageait rien de bon.

— Que moi, Polyphème, je craigne et respecte les dieux ? Sache que les Cyclopes n'ont rien à redouter de Zeus et de ses pareils. Les Cyclopes sont plus forts qu'eux et je me moque bien de leur avis. Non… je ne vous épargnerai que si cela me plaît. Mais, dis-moi, où donc as-tu laissé ton beau navire ?

Devinant ses intentions, j'inventai une fable.

— Ah ! Il n'en reste rien. Dans sa fureur, Poséidon l'a fracassé contre les rochers de la côte. Nous sommes hélas les seuls rescapés.

Sans répondre, le Cyclope fonça brusquement vers nous et attrapa deux de mes compagnons. Il les brisa contre le sol comme si c'étaient deux petits chiens, y répandant leur cervelle. Puis il leur arracha les membres et se mit à les déguster en guise de souper. La chair, les entrailles, les os, la moelle, il n'en laissa pas une miette !

Nous le regardâmes faire avec horreur, suppliant Zeus de nous venir en aide. Quand il en eut terminé avec son festin de chair humaine, qu'il accompagnait de grandes rasades de lait frais, le

Cyclope s'allongea au milieu de ses bêtes pour digérer.

L'entendant ronfler, l'envie me vint de me précipiter sur lui et de le transpercer de mon épée. Je méditais déjà mon coup – là, peut-être, dans le foie – quand je me souvins que tuer le géant ne nous sauverait pas pour autant. Car il était bien le seul à pouvoir ébranler le rocher colossal qui bouchait l'issue de la grotte.

Au matin, dès son réveil, Polyphème choisit deux autres de mes compagnons et en fit son déjeuner. Alors, sans effort, il déplaça le roc qui fermait la caverne et emmena paître son troupeau dans la montagne. Mais, bien sûr, il nous enferma avant de s'éloigner.

Mon cœur était torturé par la rage et la douleur. Tandis que je cherchais comment tirer vengeance, mon regard se posa sur la massue que le Cyclope avait abandonnée là. Faite dans un tronc d'olivier, elle était aussi grande que le mât de mon navire.

— Je vais en couper un morceau, dis-je à mes hommes. Ensuite, il faudra le polir et le tailler en pointe.

Quand ce fut fait, je passai la pointe de ce pieu au feu, afin de la durcir. Puis je cachai l'arme sous la paille qui couvrait d'une couche épaisse tout le sol de la caverne.

Le soir, Polyphème rentra avec son troupeau, poussant cette fois dans la caverne aussi les béliers et les boucs. Les bêtes étaient grasses et appétissantes. Pourtant, hélas, il préféra de nouveau se rassasier de chair humaine. Deux de mes hommes encore finirent dans son monstrueux estomac.

Malgré ma terreur, je m'approchai de lui, tenant à deux mains mon outre pleine de vin.

— Cyclope, lui dis-je, toute cette viande humaine a dû te donner soif. Pensant que tu aurais pitié de nous, j'avais apporté pour toi ce délicieux breuvage. Mais ta fureur n'a plus de bornes !

Tout en parlant, je remplissais son auge. Polyphème la vida et sembla trouver la boisson à son goût car il en redemanda.

— Donne encore, gronda-t-il. Et dis-moi ton nom, car, pour te remercier, j'aimerais te récompenser.

Il but et je versai de nouveau.

— Ah ! Quel nectar ! soupira-t-il.

Quant à moi, je poursuivis ainsi :

— Tu veux savoir mon nom ? Eh bien, je vais te le dire. Et tu me donneras, j'espère, la récompense promise. Mon nom est Personne. Voilà comment m'ont appelé mes parents, et comment tous mes compagnons m'appellent.

— Personne, hein ? Eh bien, Personne, tu auras ta récompense. Je vais manger d'abord tous tes compagnons. Et toi, Personne, je te mangerai en dernier. Voilà ta récompense !

Sur ces mots, le Cyclope tomba à la renverse et se mit à ronfler. Le vin avait fait son œuvre. Je m'écartai du corps gigantesque, que secouaient par moments des rots monumentaux, et glissai le pieu sous les cendres brûlantes. Quand il fut sur le point de prendre feu, je le retirai des braises.

— Allez ! criai-je. C'est le moment.

Je courus jusqu'au géant, suivi de mes compagnons. Ensemble, nous levâmes le pieu à la pointe fumante et l'abattîmes dans l'œil unique de Polyphème. Puis je pesai de toutes mes forces en tournant. Le sang gicla et bouillonna. La paupière grésilla, le sourcil flamba.

Le Cyclope poussa un rugissement de fauve.

Il arracha de son œil le pieu trempé de sang et battit des bras, mais, déjà, nous nous étions réfugiés au fond de la caverne.

— À l'aide ! On m'assassine ! hurla-t-il.

Sa voix était si puissante qu'elle franchit la paroi montagneuse et parvint aux oreilles de ses frères Cyclopes. De partout, ils accoururent. Et je les entendis répondre à l'appel déchirant de Polyphème :

— Polyphème, pourquoi ces cris de douleur ? Pourquoi nous réveilles-tu en pleine nuit ? On t'assassine, dis-tu. Mais qui ?

De sa caverne, le géant blessé leur fit cette réponse :

— Qui m'assassine ? Personne ! Personne !

Et les autres Cyclopes, alors, constatèrent :

— Personne ? Alors, nous ne pouvons rien pour toi. Si tu souffres, c'est que Zeus l'a voulu ainsi.

Là-dessus, ils s'en allèrent et je me mis à rire tout bas, fier du succès de ma ruse.

Nous n'étions pas tirés d'affaire pour autant. Quand je vis Polyphème se lever et se diriger en tâtonnant vers le gros rocher, je repris espoir. Il déplaça l'énorme masse pour laisser sortir ses moutons mais resta lui-même assis dans l'entrée de la caverne, bras tendus, pour nous attraper au passage si nous tentions de fuir.

Il me fallait trouver un nouveau stratagème, sinon nous étions perdus. Je remarquai de longues tiges d'osier. Grâce à elles, j'attachai trois par trois les béliers demeurés dans l'antre du monstre. Puis je ligotai chacun de mes hommes sous l'animal placé au milieu. Ainsi, quand ils quitteraient la caverne, mes compagnons échapperaient à la vigilance du Cyclope, protégés qu'ils seraient par le bélier de droite et par celui de gauche.

Je choisis pour moi la bête dont la toison était la plus fournie. Je me glissai sous son ventre et m'agrippai à l'épais pelage de son dos. Quand l'aube arriva, le Cyclope poussa dehors les mâles de son troupeau pour qu'ils aillent paître. Au passage, il tâtait le dos de chaque bélier. Mais ses mains énormes ne trouvèrent rien. Mon bélier sortit le dernier.

Dès que je me sentis à l'abri de la colère du Cyclope, je lâchai prise puis libérai mes compagnons. Nous filâmes en direction du navire, entraînant avec nous un troupeau de bêtes bien grasses.

Les hommes restés à bord nous accueillirent avec des cris de joie, auxquels se mêlèrent des pleurs quand ils connurent le sort de leurs camarades disparus. Faisant taire leurs lamentations, j'ordonnai qu'on charge sur le navire les brebis de Polyphème et qu'on s'éloigne sans tarder de cette île maudite.

Alors, tandis que les rames commençaient à fendre les flots, je hurlai à l'adresse du Cyclope ces mots de défi :

— C'est un juste châtiment qui te frappe, toi qui ne sais recevoir tes hôtes que pour les dévorer !

Cela le mit dans une telle rage qu'il arracha à la montagne un bloc entier pour le lancer dans notre direction. L'énorme rocher tomba si près que le navire en fut ébranlé.

— Cesse de l'exciter ainsi, me supplièrent mes hommes. La prochaine fois, il va nous réduire en bouillie.

Mais rien ne pouvait calmer ma fureur. Je ne voulais pas partir avant que Polyphème ne sache qui lui avait infligé sa cruelle punition.

— Cyclope ! Si quelqu'un te demande qui t'a privé de ton œil, dis-lui que c'est le fils de Laërte. Oui, moi, le vainqueur de Troie, le roi d'Ithaque, moi, Ulysse !

En entendant sa réponse, je compris que je venais peut-être de commettre une terrible imprudence. Polyphème était en effet le fils de Poséidon, dieu de la Mer.

— Oh ! Poséidon, mon père ! Je t'en supplie, exauce ma prière et fais en sorte que cet Ulysse, vainqueur de Troie et roi d'Ithaque, jamais ne retourne chez lui. Ou qu'alors, si son destin est de retrouver un jour les siens, ce soit seul, après avoir perdu tous ses compagnons. Et que là-bas, dans sa patrie, il ne rencontre que malheur !

Ayant parlé de la sorte, il prit un rocher plus lourd encore que le précédent et le lança vers nous de toutes ses forces. La masse rasa le navire et fut à deux doigts de le faire chavirer.

Nous étions sauvés, provisoirement car, hélas, Poséidon avait entendu la prière de Polyphème… »

6

Le récit d'Ulysse : Circé

« … Cependant, je ne tardai pas à oublier les menaces de Polyphème. La suite de notre voyage, en effet, se déroula de la manière la plus favorable. Bientôt apparut à l'horizon l'île flottante d'Éole, le dieu des Vents. Abrité par une côte pareille à une muraille de bronze, Éole y vit en compagnie de ses douze enfants, six filles et six garçons.

Éole m'accueillit avec générosité. Sa table était toujours chargée de nourritures délicieuses. J'aurais aimé poursuivre ma route mais le dieu des Vents me retint un mois entier. Il voulait tout savoir de mes aventures passées, à Troie et sur les mers, et ne se lassait jamais de m'interroger.

Quand vint enfin le moment du départ, Éole me fit un cadeau extraordinaire. Avec la peau d'un taureau, il confectionna une sorte d'outre dans laquelle il emprisonna les vents mauvais, afin qu'ils m'épargnent. Cette outre fut attachée au fond de mon navire, fermée par une tresse d'argent. Puis Éole fit souffler une douce brise qui devait nous raccompagner chez nous.

Après dix jours de mer, nous touchions au but. Déjà, je devinais au loin ma chère patrie. J'apercevais même, sur la côte, les feux qui la signalaient. Mon impatience était immense mais ma fatigue plus grande encore. Pas un instant pendant ces dix jours je n'avais cessé de diriger le navire. Épuisé, je ne pus résister au sommeil.

Pendant que je dormais, les hommes de mon équipage se mirent à parler. Depuis le départ, ils se posaient des questions à propos du cadeau que m'avait fait Éole. Qu'y avait-il donc vraiment dans ce grand sac ? N'était-ce pas de l'or et de l'argent ? En ce cas, pourquoi n'en auraient-ils pas leur part ?

— Déjà, à Troie, c'est à lui qu'est revenu le butin !

— Oui, et nous, nous rentrons les mains vides !

— Maintenant, il s'attire les bonnes grâces d'Éole et garde tout pour lui !

Voilà ce qu'ils disaient, les fous ! Leurs mains avides délièrent le sac et, aussitôt, tous les vents s'en échappèrent. La rafale entraîna le navire au large, nous éloignant d'Ithaque.

Quand je me réveillai, je vis tous mes hommes en pleurs. Comprenant ce qui s'était passé, je ne sus que décider. Devais-je me jeter à la mer, au risque de périr, ou subir en silence ce terrible coup du sort ? Car les vents ne se calmaient pas. Je m'allongeai, enveloppé dans mon manteau, et attendis au milieu des lamentations de l'équipage… jusqu'à ce que les tourbillons furieux nous ramènent jusqu'à l'île d'Éole !

Je montai jusqu'à son palais pour l'informer de ma triste situation. Éole se montra bien sûr fort étonné de me voir.

— Ulysse ? Te voilà revenu ? Que t'arrive-t-il ? J'avais pourtant tout fait pour que tu puisses rentrer chez toi sans encombre.

Je lui expliquai ce qui s'était passé et le suppliai de bien vouloir m'accorder de nouveau son aide.

Mais le dieu des Vents se mit en colère contre moi, m'accusant d'avoir trahi sa confiance.

Je repartis donc, accablé par ce refus. Et mes hommes recommencèrent de ramer. À présent, ils ne savaient plus vers où se diriger. L'espoir nous fuyait.

Enfin apparut à l'horizon une nouvelle île au centre de laquelle s'élevait une fumée. Je proposai à mes compagnons d'y prendre un peu de repos. Ils poussèrent de grands cris à la pensée de ce qui, peut-être, les y attendait. Le souvenir de l'accueil réservé par Polyphème le Cyclope était encore dans leur mémoire. Mais j'ignorai leurs craintes et désignai quelques hommes, leur ordonnant d'explorer les lieux.

Bientôt, ils découvrirent une maison de pierre que semblaient garder des lions et des loups. Loin de se montrer menaçants, ces animaux s'approchèrent avec douceur des étrangers effrayés et les caressèrent de leurs queues. Encore tout tremblants de l'aventure, mes envoyés entendirent alors un chant d'une merveilleuse beauté, en provenance de la maison. Cette voix était celle de Circé l'enchanteresse. Imprudemment, ils l'appelèrent pour lui signaler leur présence. Ils ignoraient, les pauvres, qu'ils se jetaient ainsi dans les filets d'une cruelle magicienne. Les lions et les loups qui rôdaient près de la maison ne le savaient que trop bien… car ils avaient été hommes avant d'être transformés par les terribles pouvoirs de Circé.

La belle Circé ouvrit la porte et invita les visiteurs à entrer. Tous acceptèrent sauf un, un nommé Euryloque, qui, prenant peur, s'enfuit vers le navire. Circé fit asseoir ses hôtes et leur offrit à boire et à manger. Aucun ne la vit verser dans le vin la drogue maléfique qui effaçait dans l'esprit le souvenir de la patrie. Ensuite, elle saisit sa baguette magique et transforma les malheureux en porcs… qu'elle conduisit aussitôt à la porcherie.

Ils avaient en tout l'air de pourceaux, le même groin, les mêmes petits yeux, le même corps couvert de soie. Et ils grognaient comme des gorets ! Mais ils pensaient comme des hommes et se souvenaient fort bien de ce qu'ils avaient été. Impitoyable, la magicienne leur jeta à manger des glands, comme on en donne aux cochons.

Tout cela, je l'appris grâce à Euryloque, celui qui avait eu le bon sens de refuser l'hospitalité de Circé. Balbutiant et sanglotant, il nous raconta le sort épouvantable subi par ses camarades. Je m'emparai de mon glaive et de mon arc, décidé malgré le danger à voler au secours de mes hommes.

En chemin, je fis une rencontre inattendue. Le jeune homme qui se dressait devant moi n'était autre qu'Hermès, le dieu messager.

— Où vas-tu, insensé ! s'exclama-t-il. Ne sais-tu pas que Circé a transformé tes compagnons en pourceaux ? Tu veux les délivrer ? Crois-moi, son pouvoir est trop grand pour toi. Tu subiras le même sort.

Me voyant résolu, il dit :

— Je vais te venir en aide. Tiens, prends cette herbe. Elle te protégera des maléfices de Circé. Maintenant, écoute-moi...

Et il m'expliqua exactement ce que je devais faire. Puis Hermès disparut, regagnant l'Olympe...

Parvenu au porche de la maison, j'appelai la magicienne qui accourut immédiatement. Comme je m'y attendais, elle se hâta de m'offrir une coupe pleine d'un breuvage auquel elle mêla sa drogue. Sans hésiter, je la vidai d'un trait.

Alors, me frappant de sa baguette, l'enchanteresse s'exclama :

— Allez ! Viens donc rejoindre les tiens à la porcherie !

Mais ses maléfices restèrent sans effet. Et moi, suivant les conseils d'Hermès, je tirai mon glaive et me jetai sur elle, comme si j'étais décidé à la tuer. Circé hurla de terreur et s'effondra à mes pieds, suppliant :

— Non ! Je t'en prie. Mais qui es-tu ? Par quel prodige as-tu résisté à ce charme ? Es-tu donc invincible ? Oh… mais ne serais-tu pas le rusé Ulysse ? Hermès m'a prédit depuis longtemps ta venue, au retour de Troie. Allez ! Laisse ce glaive… et viens plutôt me rejoindre sur ma couche. N'est-ce pas la meilleure façon de faire la paix ?

Indigné, je lui répondis :

— Comment peux-tu me faire une telle offre, toi qui as transformé mes compagnons en porcs et les retiens prisonniers, toi qui il y a un instant voulais me faire subir le même sort ! Je sais bien pourquoi tu veux m'attirer sur ton lit ! Pour que j'abandonne mes armes, pour m'avoir à ta merci !

— Viens, insista la magicienne.

— Alors, dis-je, tu dois jurer. Jure, au nom des dieux, que tu ne me feras aucun mal.

Circé jura et je la suivis…

Plus tard, voyant qu'affalé dans un fauteuil je refusais de manger et de boire, elle me demanda ce qui m'attristait tant.

— Comment pourrais-je me réjouir, quand mes amis sont prisonniers de corps monstrueux et pataugent dans la fange ?

Sans un mot, Circé prit sa baguette et se dirigea vers la porcherie. Ce fut un choc pour moi de découvrir ainsi les miens, semblables à de gros et gras gorets. La magicienne passa près d'eux, les frottant l'un après l'autre avec une nouvelle potion. Et, miracle ! non seulement ils reprirent forme humaine mais ils me parurent plus jeunes et plus beaux qu'auparavant.

À la demande de Circé, j'allai chercher au navire tous ceux qui y attendaient notre retour dans l'inquiétude. Je leur annonçai qu'ils seraient les bienvenus dans la demeure de la magicienne et y seraient traités comme des rois. Tous acceptèrent avec joie, à l'exception d'Euryloque.

— Où voulez-vous aller, malheureux ? s'écria-t-il. Ne comprenez-vous pas que Circé va faire de vous des pourceaux qu'elle engraissera ? Ou bien des loups, des lions, tout juste bons à garder sa maison ! Avez-vous déjà oublié nos camarades dévorés par le Cyclope ? Allez-vous suivre encore une fois Ulysse dans sa folie ?

Furieux, je mis la main sur mon glaive. Et j'aurais peut-être fait rouler sa tête sur le sol si plusieurs hommes ne m'avaient pas retenu.

— Laissons-le, dit l'un d'eux. Qu'il garde le vaisseau pendant que nous te suivrons.

Finalement, terrifié par mon accès de colère, Euryloque vint avec nous. Et, parvenu chez l'enchanteresse, il vit qu'elle avait tenu sa promesse. Circé nous traita avec générosité, remplissant nos estomacs de vins exquis et de mets recherchés.

Son hospitalité fut si douce que nous restâmes auprès d'elle pendant toute une année. Nous mangions, nous buvions, et ne pensions plus à rien d'autre. Mes compagnons finirent par s'en inquiéter.

— Ulysse ! me dirent-ils. As-tu donc oublié ta patrie ? Ne songes-tu plus à retrouver les tiens ?

Je compris qu'ils avaient raison et m'empressai d'aller auprès de Circé, qui m'attendait sur sa couche.

— Circé, lui dis-je, l'heure est venue de tenir ta promesse. Mes hommes se lamentent. Ils veulent rentrer chez eux.

— Si vous désirez partir, partez ! répondit la magicienne. Mais tu as un dernier voyage à accomplir, avant celui du retour. C'est chez Hadès que tu dois maintenant aller. Là, tu demanderas conseil au devin Tirésias.

Les paroles de Circé me glacèrent d'épouvante. Comment trouverais-je le courage d'aller affronter Hadès, le dieu des Morts, dans son sinistre royaume ? Je me mis à sangloter à l'idée de ce qui m'attendait. Enfin calmé, je gémis :

— Ô Circé, mais qui me guidera ? Nul n'a jamais abordé le royaume des morts sur un navire !

— Ne t'inquiète pas, Ulysse, répondit-elle. Hisse tes voiles et laisse le vent te pousser… »

7

Le récit d'Ulysse : Le royaume des morts

« ... Comme me l'avait promis Circé, une brise tranquille gonflait nos voiles. Mes compagnons cependant ne cessaient de se lamenter, contemplant avec crainte la brebis noire et l'agneau offerts par la magicienne. Les deux bêtes devaient servir aux sacrifices, une fois que nous serions parvenus au royaume des morts.

Personne ne gouvernait le navire. Ce sont les vents divins qui nous conduisirent vers le pays couvert de brume qui jamais ne connaît les rayons du soleil.

Enfin, nous échouâmes notre bateau sur le bord de cette sinistre terre. Faisant descendre les bêtes, nous nous dirigeâmes vers l'endroit que m'avait indiqué Circé, marchant le long de l'océan.

Alors, comme il m'avait été ordonné, je creusai une grande fosse et y versai les libations destinées aux morts. D'abord, le lait mêlé de miel puis le vin doux et enfin l'eau pure. Pour terminer, je répandis de la farine blanche. Je fis le serment que s'il m'était permis de retourner dans mon île d'Ithaque, j'y offrirais en sacrifice la meilleure de mes vaches ainsi qu'un bélier noir pour le seul devin Tirésias.

Il me fallait maintenant égorger la brebis et l'agneau. Tandis que je lançais mon invocation aux morts, je fis couler au-dessus de la fosse leur sang noir. Aussitôt, je vis sortir de l'ombre la foule des âmes défuntes. Jeunes et vieux, femmes et guerriers, tous accouraient vers moi en poussant des cris horribles. J'étais terrifié.

Parmi cette armée des morts, je reconnus un de mes compagnons, qui s'était rompu le cou chez Circé pour avoir trop bu. Puis, le cœur serré, j'y aperçus ma propre mère. Je l'avais laissée bien vivante, vingt ans plus tôt, à mon départ vers la ville de Troie. La voyant ici, je savais à présent qu'elle avait quitté notre monde.

Mais il m'était impossible de m'attarder à ce spectacle. J'avais accompli ce voyage au royaume des âmes pour y interroger Tirésias, le devin aveugle. Or, voilà que s'approchait son ombre.

— Pourquoi as-tu quitté la lumière du soleil pour venir au pays de la mort ? m'interrogea-t-il.

Mais il connaissait la réponse car il continua ainsi :

— Allons ! Écarte-toi de la fosse, que je boive le sang ! Ensuite, je te dirai ce que tu veux savoir.

J'obéis et le regardai boire le sang noir des sacrifices. Alors, il me parla.

— Tu rêves, Ulysse, d'un doux retour au pays. Mais un dieu te rendra la tâche bien difficile. Poséidon te poursuit de sa haine. Jamais il ne te pardonnera d'avoir crevé l'œil de son fils Polyphème. Prends courage et tu triompheras.

Les paroles du devin étaient plutôt réconfortantes. Hélas, la suite fut terrible à entendre.

— Oui, tu retourneras à Ithaque mais ce ne sera pas sur ton propre navire. Et tu y rentreras seul car tous tes compagnons auront péri. Là-bas, sur ton île, tu ne trouveras que malheur. Des hommes sans honneur y auront dilapidé ta fortune et courtisé ta femme. À toi de les punir à la pointe de ton glaive ! Puis je te prédis une vieillesse heureuse parmi les tiens.

— Très bien, dis-je, puisque les dieux en ont décidé ainsi. Mais je veux te poser encore une question. Ma mère est là, qui n'ose pas s'approcher ni regarder dans les yeux son enfant. Comment puis-je lui parler ? Comment faire pour qu'elle me voie ?

— Qu'elle vienne et boive le sang du sacrifice, répondit le devin Tirésias. Alors, de sa bouche sortira la vérité.

Sur ces mots, Tirésias disparut.

J'attendis que ma mère vienne boire le sang fumant. Dès que ce fut fait, elle me reconnut et me parla :

— Mon fils ! Tu vis encore ! Mais que fais-tu ici, parmi les âmes mortes ? Ton navire ne t'a donc pas ramené à Ithaque ?

Je lui expliquai mon triste sort et comment j'errais, de malheur en malheur, depuis que j'avais quitté Troie.

— Mais toi, lui demandai-je, de quelle façon as-tu perdu la vie ? Parle-moi de mon père, parle-moi de mon fils et de tous ceux que j'ai laissés là-bas. Pénélope m'attend-elle encore ? Ou s'est-elle choisi un autre époux ?

— Ton épouse t'est restée fidèle, répondit ma mère. Elle pleure nuit et jour en attendant ton retour. Et Télémaque veille sur ton domaine. Mais ton père s'est retiré loin du palais. Il vit seul, tristement, désespérant de te revoir. Le chagrin qui le brûle est ce même chagrin qui m'a tuée. C'est mon amour pour toi, mon cher Ulysse, qui m'a arrachée à la vie.

Après de telles paroles, je n'avais plus qu'un désir : serrer ma mère entre mes bras. Trois fois je m'élançai. Mais, trois fois, mes bras n'étreignirent que le vide. Au royaume des morts, ma mère n'était plus qu'une ombre, qu'un songe…

Ensuite, je vis affluer en grand nombre les âmes défuntes de nobles femmes et de valeureux héros. Je vis ainsi tous ceux auprès de qui j'avais combattu devant Troie et qui avaient trouvé la mort. Je vis Achille, je vis Patrocle, je vis Ajax. Je vis même Agamemnon, parti bien vivant mais lâchement assassiné après son retour.

Bientôt, ce spectacle me devint insupportable, tant la foule des morts était immense. Je ne songeai plus qu'à reprendre le chemin de mon vaisseau. Une fois à bord, je donnai l'ordre de larguer l'amarre. Enfin, nous nous éloignâmes du royaume des âmes disparues… »

8

Le récit d'Ulysse : Charybde et Scylla

« … Comme il était prévu, nous laissâmes la brise nous reconduire jusqu'à l'île de Circé. La magicienne nous fit apporter par ses servantes du pain, des viandes et du vin en grande quantité.

— Vous voilà revenus du royaume que l'on ne visite qu'une fois ! s'exclama-t-elle. Et vous, pourtant, c'est deux fois que vous le verrez ! Mangez, buvez, reposez-vous. Demain, vous reprendrez votre voyage.

À la fin de la journée, tandis que mes compagnons allaient dormir, Circé me prit par la main et me tira à l'écart pour me parler.

Elle ne me cacha rien des périls que j'allais devoir affronter encore. Mais, grâce à ses conseils, je sus comment résister au chant des sirènes, puis quelle route suivre. Hélas, la magicienne me laissait peu d'espoir. Si nous échappions à Charybde, Scylla nous guetterait comme autant de proies et le prix à payer serait terrible.

À l'aube, Circé me fit ses adieux. Je revins au vaisseau et pressai mes hommes de remonter à bord puis de larguer l'amarre. La brise envoyée par l'enchanteresse gonfla nos voiles et notre navire fendit les flots.

Préoccupé par ce que m'avait annoncé Circé, je décidai de ne pas les laisser dans l'ignorance.

— Mes amis ! leur dis-je. Je veux que vous sachiez tout de ce qui nous attend. Circé m'en a averti et je désire vous en avertir à mon tour. Nous approchons de l'île des Sirènes. Nul ne peut résister à leurs voix ensorcelantes. Seul, il me sera permis de les entendre à condition d'être solidement attaché au mât du navire. Si je vous commandais de me détacher, surtout n'obéissez pas ! Resserrez plutôt les nœuds !

Soudain, le vent tomba. On aurait dit que la mer sous notre coque s'était endormie. Alors, mes compagnons firent descendre la voile et s'emparèrent des rames. Tandis qu'ils faisaient avancer le navire à la force de leurs bras, je pris une grande galette de cire. Je la pétris pour la ramollir et la divisai en petits morceaux. Puis, passant de banc en banc parmi les rameurs, je leur bouchai les oreilles avec la cire.

Comme je le leur avais ordonné, mes hommes me lièrent bras et jambes avant de m'attacher fortement au mât. Les rames battaient les flots avec puissance et rapidité. Nous filâmes à grande vitesse près de l'île des Sirènes. Mais elles nous virent et, aussitôt, entonnèrent leur chant.

Leurs douces paroles s'adressaient directement à moi, tentatrices, irrésistibles.

— Viens, Ulysse, viens à nous. Arrête ton navire et écoute-nous. Nul n'est jamais passé devant cette île sans écouter la mélodie qui sort de nos lèvres. Ensuite, ceux qui ont entendu notre chant s'en vont le cœur heureux, plus riches, plus forts. Écoute car nous savons tout de toi, tout des souffrances que les dieux t'ont envoyées, tout de ce qui s'est passé sur cette terre.

Elles chantaient ainsi et je n'avais plus qu'un désir : les entendre encore et encore. Là-bas, je le savais, blanchissaient sur le rivage les os des imprudents qui s'étaient laissé ensorceler par le chant merveilleux des Sirènes. Pourtant, j'adressai des regards suppliants à mes compagnons pour les convaincre de me détacher. Mais, tandis que tous les autres tiraient de plus belle sur leurs rames, deux d'entre eux s'approchèrent de moi pour resserrer les nœuds.

Notre navire poursuivit sa route, s'éloignant du piège fatal. Finalement, les cris et les chants des Sirènes cessèrent de parvenir jusqu'à nous. Mes compagnons s'empressèrent d'ôter la cire qui bouchait leurs oreilles puis de me détacher.

Mais un danger succédait à l'autre. À peine l'île des Sirènes avait-elle disparu que j'aperçus au-dessus des flots comme un tourbillon de fumée. Et, du lointain, nous parvenait un terrible fracas. Paralysés par la peur, mes hommes lâchèrent les rames, abandonnant le navire au courant.

Dans l'espoir de leur redonner courage, je leur criai :

— Mes amis, souvenez-vous des périls dont nous avons triomphé ! Souvenez-vous du jour où nous étions enfermés dans la caverne du Cyclope, tout près de finir dans son estomac ! Pouvez-vous donc imaginer un danger pire que celui-là ? Et ne vous ai-je pas sauvés grâce à ma ruse ? Allez, saisissez vos rames et, surtout, prenez garde de passer au large de l'écueil signalé là-bas par ce tourbillon de fumée.

J'avoue ne pas leur avoir dit toute la vérité. Car je savais par Circé quel sort nous était réservé. Si nous échappions à Charybde, nous n'échapperions pas à Scylla. Les deux monstres marins guettaient face à face sur leurs rochers. Charybde, cette fille de Poséidon, avalait l'eau à la façon d'un gouffre, engloutissant tout ce qui passait à sa portée, puis recrachait les flots dans un épouvantable tumulte. De l'autre côté, Scylla, horrible créature dotée de douze pattes et de six têtes de chien, attendait qu'approchent les malheureux qui avaient résisté à Charybde, afin de les dévorer.

Mes hommes se remirent à tirer sur leurs avirons. Là où Charybde vomissait sans relâche, la mer bouillonnait comme l'eau sur un feu ardent. L'écume jaillissait si haut qu'elle cachait le rocher où se tenait la créature. Verts de terreur, mes compagnons continuaient de ramer.

Tous nous avions les yeux tournés vers Charybde, craignant de périr, aspirés par sa soif sans terme. C'est alors que surgit Scylla. Les six têtes jaillirent, au bout de leurs cous immenses. Six têtes, six gueules, chacune pourvue de trois rangées de dents ! L'abominable créature attrapa d'un coup six des nôtres, les plus forts, les plus vaillants. Jamais de toute ma vie je n'ai assisté à plus horrible spectacle. Emportés en plein ciel, nos malheureux compagnons hurlaient, battant des bras et des jambes. Ils criaient mon nom, espérant qu'une fois de plus je pourrais les sauver. Hélas, il n'était plus temps de leur venir en aide. Ils disparurent dans les gueules voraces, frétillants comme des poissons qu'on vient de sortir de l'eau.

En était-ce fini de nos malheurs ? Les deux écueils de Charybde et de Scylla étaient maintenant derrière nous. Et l'île qui se présentait devant semblait des plus accueillantes. C'était l'île d'Hélios, le dieu-soleil. Circé et Tirésias m'avaient annoncé cette escale et mis en garde. Car sur cette île vivaient des troupeaux de bœufs magnifiques et de grasses brebis. Déjà, nous entendions meuglements et bêlements. Me souvenant de ce qu'on m'avait dit, je m'adressai à mes compagnons :

— Amis, écoutez-moi ! L'île du Soleil est riche et attirante. Je sais que vous souffrez et rêvez de vous y arrêter. Mais le devin Tirésias m'a prédit les pires malheurs si nous ne l'évitons pas. Hâtez-vous ! Éloignons-nous au plus vite !

Je sentis la révolte gronder parmi les hommes. Ce fut une nouvelle fois Euryloque qui s'opposa à moi et répliqua avec fureur.

— Vois comment tu nous traites, Ulysse ! Peut-être ton corps est-il plein de force, peut-être tes membres sont-ils parfaitement reposés… mais nous, nous sommes épuisés. À force de ramer, nous tombons de sommeil. Or, voici une île où nous pouvons accoster, dormir et manger. Et toi, tu voudrais que nous poursuivions notre route dans la nuit noire, où sans doute nous guettent de nouveaux dangers. Assez ! Prenons enfin un peu de repos. Accorde-nous un bon repas et une nuit tranquille et nous repartirons demain.

Tous l'acclamèrent. Comprenant que je ne pourrais les raisonner, j'acceptai.

— Très bien. Puisque je suis seul contre vous tous, qu'il en soit ainsi. Mais jurez-moi que si vous apercevez des vaches ou des brebis, vous résisterez à la tentation d'abattre la moindre de ces bêtes. Circé nous a fourni des vivres. Il faudra vous en contenter.

Ils jurèrent. Notre navire fut mis à l'abri et nous débarquâmes. Puis nous prîmes tous ensemble notre repas, en parlant avec tristesse de nos camarades dévorés par l'abominable Scylla.

Au cours de la nuit, les hurlements du vent nous arrachèrent au sommeil. D'épais nuages engloutirent le rivage et la mer. Dès l'aube, nous tirâmes notre vaisseau au sec, dans une vaste grotte. Et, de nouveau, je mis mes compagnons en garde.

— Mangez vos provisions mais ne touchez pas aux troupeaux. Ces bêtes appartiennent à Hélios, le dieu-soleil qui voit tout et entend tout.

C'était une brise d'ouest qu'il nous fallait pour repartir et gagner Ithaque. Or, le vent du sud refusait de faiblir. Pendant tout un mois, il souffla furieusement. Tant qu'ils eurent du pain et du vin, les hommes acceptèrent d'obéir à mes ordres. Mais les vivres du bord finirent par s'épuiser. Alors, mes compagnons affamés se mirent en quête de nourriture, cherchant des oiseaux, des poissons, ce qu'ils pouvaient trouver.

Un jour que je m'étais éloigné pour aller prier les dieux, seul, au centre de l'île, l'un des maîtres de l'Olympe versa sur mes yeux un doux sommeil. Quand je me réveillai, il était trop tard. En mon absence, Euryloque avait tenu ce discours à ses camarades :

— La mort est toujours cruelle. Mais périr lentement à cause de la famine n'est-il pas le sort le plus affreux ? Il y a là tout près de nous les bœufs d'Hélios, charnus et appétissants. Allons-nous les contempler ainsi jusqu'à notre dernier souffle ? Si jamais les dieux nous permettent de retrouver bientôt notre Ithaque, nous ferons au Soleil les plus belles offrandes afin de calmer sa colère. Et s'il exige des dieux la perte de notre navire, eh bien… tant pis ! Plutôt finir au fond des flots que mourir à petit feu sur cette île déserte !

Au moment où je revenais à proximité du navire, une bonne odeur de graisse fondue me parvint aux narines. Des cuisses énormes rôtissaient à la broche. Accablé, je suppliai les dieux de pardonner à mes hommes leur forfait.

Déjà, les signes de leur fureur se manifestaient. Les dépouilles des bêtes abattues se relevaient et marchaient ! De la chair sanglante s'élevaient des meuglements pareils à ceux que poussent des vaches bien vivantes !

Rien n'arrêta mes compagnons. Pendant six jours, ils se régalèrent de la viande volée à Hélios, le dieu-soleil. Au septième jour, le vent du sud faiblit enfin. Vite, nous embarquâmes, redressâmes le mât et tendîmes les voiles blanches.

Notre course fut brève. Une formidable bourrasque s'abattit sur nous et brisa le mât. En même temps, Zeus fit entendre le terrible tonnerre de sa voix et nous foudroya de ses éclairs. Les vagues qui balayaient le pont emportèrent plusieurs hommes.

Il était dit que les dieux leur refuseraient les joies du retour.

Je courais d'un bout à l'autre du navire, ne sachant que faire pour échapper à ce châtiment divin. De sinistres craquements m'apprirent que l'embarcation était sur le point de se disloquer. Quand la quille se détacha et que je la vis s'éloigner, je sus que tout espoir était perdu. Par chance, le mât brisé flottait encore auprès de la quille. Je parvins à l'agripper puis à lier ensemble les deux pièces de bois. C'est ainsi, sur ce radeau de fortune, que je poursuivis ma route au gré des courants, unique survivant du naufrage.

Je dérivai pendant neuf jours et neuf nuits, n'ayant pour avirons que mes deux mains. Au dixième jour, une dernière vague me jeta sur le rivage de l'île où vit Calypso. Elle m'accueillit en ami… un ami qu'hélas elle refusa de laisser repartir pendant de longues années. »

9

Le retour à Ithaque

Ulysse a terminé son récit. Tous l'ont écouté en silence, avec la plus grande attention. Enfin, Alcinoos, le roi des Phéaciens, prend la parole.

— Tu as beaucoup souffert, Ulysse, mais je crois que tes malheurs ont maintenant pris fin. Tu es arrivé ici nu et sans espoir. Demain, tu rentreras chez toi chargé de nombreux cadeaux précieux et le cœur joyeux.

Le roi fait porter sur le vaisseau qui doit conduire Ulysse à Ithaque des coffres emplis de belles étoffes et d'objets en or ainsi que des grands vases.

Le jour suivant, avant le départ du héros, Alcinoos offre un dernier festin. Il sacrifie un bœuf, priant Zeus de bien vouloir favoriser le retour de son hôte.

L'heure est enfin venue. Ulysse remercie ceux qui l'ont si généreusement accueilli. Mais, déjà, son regard est tourné vers l'horizon. Voilà vingt ans qu'il a quitté son île. L'impatience le brûle.

On a préparé sur le navire une couche pour qu'Ulysse puisse s'y reposer. À peine les rameurs ont-ils commencé de tirer sur leurs avirons que le héros sent le sommeil fermer ses yeux.

Le vaisseau fend les flots à toute allure, si légèrement qu'il semble voler sur la crête des vagues. Rien ne peut troubler le repos d'Ulysse. À cet instant, c'est comme si toutes les souffrances accumulées s'effaçaient soudain.

Juste avant l'aube, le navire aborde l'île d'Ithaque.

Là-haut, sur l'Olympe, les dieux observent cette arrivée. L'un d'eux, Poséidon, est particulièrement mécontent de voir ce qui se passe dans le petit port. Ulysse, constate-t-il, a le sommeil lourd ! Les marins phéaciens, en effet, l'ont transporté à terre encore endormi. Puis ils ont placé en sécurité tous les cadeaux offerts par Alcinoos.

Fâché, le dieu de la Mer va se plaindre à Zeus, le maître de l'Olympe.

— Comment veux-tu qu'on continue de me respecter ! Regarde un peu. Je savais bien que cet Ulysse finirait par retrouver sa patrie, puisque tu en avais fait le serment. Mais le voilà qui rentre couvert d'or et d'étoffes précieuses, grâce à ces Phéaciens que j'ai toujours protégés. Il n'en aurait pas rapporté davantage s'il était revenu de Troie avec sa part de butin.

À quoi Zeus lui répond :

— Qu'on cesse de te respecter, toi, le plus puissant des dieux ! Je ne peux l'imaginer. Si certains mortels t'ont offensé, si tu désires tirer vengeance de ces Phéaciens, fais comme il te plaira !

— Je me serais vengé depuis longtemps si je n'avais pas craint ta colère, affirme Poséidon. Mais si tu me permets de les punir, j'ai bien l'intention de pulvériser le navire de ces Phéaciens, pour leur apprendre à me défier.

— Comme tu voudras, dit Zeus. Mais j'ai peut-être une autre idée…

Dès que Poséidon a entendu la suggestion de Zeus, il se rend en Phéacie et y attend le retour du vaisseau. Quand le navire se présente, le dieu de la

Mer tend la main et le transforme en un immense rocher.

Les Phéaciens voient avec stupeur cette nouvelle montagne qui se dresse devant leur port. Alerté par la rumeur, le roi Alcinoos ne tarde pas à accourir. Alors, il se souvient d'une ancienne prédiction faite par son propre père.

— Il disait qu'un jour, à force de jouer les passeurs sur la mer, nous finirions par offenser Poséidon. Il disait qu'un jour un de nos navires se perdrait dans la brume et qu'à sa place naîtrait une montagne. Renonçons donc à reconduire chez eux les étrangers qui nous visitent et faisons un sacrifice à Poséidon. Implorons sa pitié afin qu'il ne recouvre pas d'une montagne notre cité tout entière !

Pendant ce temps, Ulysse émerge enfin de son sommeil. Il ouvre les yeux sur sa patrie mais il est parti depuis tant d'années qu'il ne la reconnaît pas. De plus, afin de protéger le secret de son retour, Athéna, toujours vigilante, l'a enveloppé d'une sorte de brume. Ainsi, tout ce qu'il voit lui paraît étranger.

— Quel est donc ce pays ? gémit Ulysse. Ne devait-on pas me conduire chez moi ? Ces Phéaciens, si généreux, si justes, m'auraient-ils trahi ?

Il voit alors approcher un jeune et beau berger. Heureux de cette rencontre, Ulysse lui lance :

— Ami ! Je t'en prie, aide-moi et dis-moi sur quelle terre je me trouve. Suis-je sur une île, suis-je sur la côte du continent ? Qui sont les habitants de ce pays ?

Le jeune pâtre sourit au héros. Une fois encore, sous ce déguisement, c'est Athéna qui se manifeste à lui.

— As-tu perdu l'esprit pour ne pas savoir où tu es ? Ou bien es-tu un étranger venant de très loin ? Ce pays est pourtant réputé. Il n'est ni très vaste ni très riche mais on y a du vin et du grain en quantité. Et aussi des chèvres et aussi des porcs ! Voilà pourquoi le nom d'Ithaque est connu. N'en as-tu jamais entendu parler ?

Ces paroles malicieuses emplissent Ulysse d'un bonheur fou. Mais, toujours méfiant, il se garde bien de révéler qui il est. Au lieu de cela, il se met à raconter au berger des aventures sorties de son imagination.

Athéna l'écoute patiemment puis éclate de rire. Alors, reprenant son vrai visage de femme, elle s'exclame :

— Décidément, quand il s'agit de mentir, personne ne peut t'égaler ! Tu ne changeras donc jamais. Te voilà revenu au pays et tu ne penses encore qu'à ruser, à inventer des histoires de toutes pièces ! Mais tu as affaire à forte partie. Peut-être es-tu le plus habile des mortels… mais ne dit-on pas la même chose d'Athéna parmi les dieux ? Dis-moi, ne m'avais-tu pas reconnue ? Moi qui toujours veille sur toi et défends tes intérêts ! Il faut que tu m'écoutes encore, Ulysse. Si tu veux sauver les richesses offertes par les Phéaciens, si tu veux reconquérir ton palais, tu dois agir en secret sans confier à quiconque qui tu es réellement. Prépare-toi à de nouvelles souffrances, prépare-toi à tout, y compris à user de violence !

— Comment te reconnaître, ô déesse, toi qui sais prendre tous les visages ? répond Ulysse. C'est vrai que tu étais à mes côtés à Troie tant que la guerre a duré. Mais ensuite, lors de mon trop long voyage… où étais-tu passée ? Jamais je n'ai senti ta présence sur mon navire quand tous les maux nous accablaient. Pendant des années, je n'ai connu que le doute. Et aujourd'hui encore, quand tu me dis que je suis enfin de retour à Ithaque, je n'arrive pas à le croire. Vraiment… tu ne te moques pas de moi ? Vraiment, c'est bien là ma patrie ?

— Toujours aussi méfiant, toujours aussi prudent, cher Ulysse. Un autre à ta place se serait précipité vers sa femme et ses enfants. Toi, tu veux d'abord savoir par toi-même et juger ton épouse. Sache qu'elle passe ses jours et ses nuits à pleurer. Moi, je n'avais aucun doute. Je savais qu'un jour tu rentrerais. Mais il m'était bien difficile de lutter contre Poséidon, le frère de Zeus mon père. Depuis que tu as aveuglé Polyphème, il te poursuit de sa haine.

Athéna lève les bras et poursuit :

— Mais regarde donc... La voici, ton île d'Ithaque. Ne reconnais-tu pas le port, le rivage et ce bel olivier ? Et cette grotte où tu es venu si souvent apporter tes offrandes aux naïades ?

À ces mots, la déesse disperse la brume qui brouillait tout le paysage aux yeux d'Ulysse. Submergé par la joie, le héros tombe à genoux et embrasse sa terre natale.

Sur le conseil d'Athéna, Ulysse cache les précieux cadeaux des Phéaciens dans la grotte. Puis la déesse ferme l'entrée de cette caverne avec un rocher. Alors, assis à l'ombre de l'olivier, tous deux envisagent la suite des événements.

— Voilà trois ans que les prétendants occupent ta demeure, dit Athéna, trois ans qu'ils tentent de séduire ton épouse. Elle fait semblant de les écouter, elle leur fait des promesses mais ne pense qu'à toi.

Fou de rage à cette pensée, Ulysse s'exclame :

— Le jour de ma vengeance est venu ! Si tu restes auprès de moi, rien ne pourra m'arrêter. S'il le faut, je suis prêt à combattre seul contre trois cents guerriers !

Athéna lui en fait le serment : elle demeurera à ses côtés.

— Je les vois déjà, ces prétendants, baignant dans leur sang et leur cervelle. Écoute-moi, Ulysse. Je vais te transformer, te rendre méconnaissable, si bien que même ta femme ou ton fils ne pourront deviner qui tu es. Pour commencer, tu iras chez Eumée, le porcher, là où il garde ses gros et gras cochons. Eumée t'est resté fidèle. Il aime et respecte ta femme. Tu attendras chez lui pendant que je me rendrai à Sparte, chez Ménélas. Ton fils Télémaque se trouve toujours là-bas. Je dois l'avertir de ton retour et le convaincre de revenir à Ithaque sans retard.

— Mais pourquoi l'as-tu laissé partir là-bas, toi qui sais tout ? s'indigne Ulysse. Voulais-tu qu'il connaisse lui aussi les pires souffrances sur les mers ?

— Ne t'inquiète pas pour lui. Je désirais simplement qu'il ait l'occasion de montrer son courage. Il est pour l'heure en sécurité dans le palais de Ménélas. Je sais que certains lui ont tendu un piège et l'attendent ici avec des intentions criminelles. Mais rassure-toi : je veille. Il ne lui arrivera rien.

Alors, comme elle vient de le lui annoncer, Athéna touche Ulysse avec sa baguette et fait de lui un autre homme. Le beau et vigoureux héros devient soudain un vieillard à la peau flétrie, aux cheveux rares et au dos voûté. Il ne porte plus sur lui que des loques. Pour finir, elle le couvre d'une dépouille de cerf toute râpée et lui donne un bâton.

C'est ainsi qu'ils se séparent. Athéna prend le chemin de Sparte et Ulysse celui du lieu où le porcher Eumée garde ses bêtes.

10

Eumée

Ulysse gravit un sentier raide à travers les bois. Comme le lui a annoncé Athéna, il trouve le fidèle Eumée au sommet de la colline. C'est là que l'homme a construit de ses propres mains la grande porcherie. De ces gros cochons bien gras, il n'en reste plus beaucoup – trois cent soixante exactement – et leur nombre diminue chaque jour. Tous les jours, en effet, sur l'ordre des prétendants, Eumée doit envoyer au palais l'une des plus belles bêtes. Si cela continue ainsi, bientôt, les quatre chiens féroces qui montent la garde n'auront plus rien à protéger.

Quand ils aperçoivent Ulysse, les molosses se précipitent sur lui en aboyant. L'espace d'un instant, le héros craint de subir un sort aussi cruel qu'absurde : périr sous les crocs de ces fauves, ici, chez lui, après avoir vaincu tant de périls pour retrouver enfin sa patrie ! Heureusement, Eumée surgit et chasse les chiens en les bombardant de cailloux.

— Vieillard ! lance le porcher, tu as bien failli finir déchiqueté... et moi, j'ai échappé de peu à la honte. Crois-moi, je n'ai pas besoin d'un malheur de plus. Ma vie est si triste, déjà. Je pleure mon maître depuis des années et il me faut pourtant continuer d'élever ses cochons, oui, pour que d'autres les mangent ! Et lui, pendant ce temps, qui sait ? peut-être meurt-il de faim. S'il est encore de ce monde, évidemment... Allez, suis-moi, et tu auras toi aussi ta part de son pain et de son vin.

Eumée fait entrer Ulysse dans la porcherie et lui propose de s'installer sur une banquette couverte de peau de chèvre.

— C'était un bon maître, continue le porcher. Ah ! S'il était revenu, il aurait pris soin de moi et m'aurait offert un beau domaine.

Il se dirige vers les enclos où sont enfermées les bêtes et y choisit deux porcelets. Il les égorge, les embroche et les met à cuire au-dessus du feu. Quand la viande est cuite, il en apporte à Ulysse un plat fumant, avec une coupe de vin au parfum de miel.

— Ce n'est que du cochon de lait, dit Eumée, comme pour s'excuser. Les porcs gras, les prétendants se les réservent. Sans doute ont-ils hélas appris la mort de mon maître. Sinon, ils se contenteraient de leurs biens, au lieu de piller les siens.

Ulysse mange en silence, méditant la vengeance qu'il rêve de faire subir à ces brigands. Quand il a terminé son repas, il demande au porcher :

— Ami, dis-moi donc qui est ce maître dont tu me parles. Si je t'ai bien compris, tu ne l'as plus revu depuis qu'il est parti combattre devant la ville de Troie ? Ce serait d'après toi un grand personnage. Peut-être ai-je eu l'occasion de le rencontrer et puis-je te donner de ses nouvelles. J'ai beaucoup voyagé…

— Tu ne serais pas le premier à le prétendre, vieillard ! réplique Eumée. Tant de vagabonds sont passés, la bouche pleine de mensonges ! Mais ni la reine ni son fils ne croient plus un mot de ce qu'on leur raconte. Ma maîtresse s'est laissé abuser trop de fois. Ces gens sans scrupules viennent mendier de la nourriture et des vêtements. Ils font naître l'espoir avant de nous laisser de nouveau dans le chagrin.

Il soupire avant de poursuivre.

— Sans doute es-tu comme eux, vieillard, prêt à inventer une histoire pour obtenir quelque récompense. Hélas ! Je crains que les os de mon maître n'aient été depuis longtemps rongés par les chiens et les rapaces. À moins que les poissons ne l'aient dévoré. Vois-tu, même ma mère et mon père, qui pourtant m'ont élevé, me manquent moins que lui. Pour moi, Ulysse était comme un frère.

— Je ne cherche aucune récompense, répond Ulysse, et n'accepterai rien tant que ton maître ne sera pas revenu. Tu as perdu espoir ? Eh bien, moi je te l'affirme : il est vivant et tu en auras la preuve avant la fin de ce mois. Oui, il rentrera chez lui et tous ceux qui ont outragé sa femme et son fils recevront un juste châtiment !

Eumée secoue la tête, incrédule.

— Parlons plutôt d'autre chose. Le souvenir de mon maître me rend trop triste. Et voilà maintenant que je m'inquiète aussi pour son fils. Télémaque est parti à la recherche de son père et je sais que les prétendants attendent son retour pour lui réserver un mauvais sort. Allez, laissons tout cela, nous n'y pouvons rien. Raconte-moi donc, vieillard : qui es-tu, d'où viens-tu ? Qui t'a conduit jusqu'à l'île d'Ithaque ? Car tu n'es pas arrivé à pied, j'imagine !

Ulysse avale une bouchée de porcelet rôti et une gorgée de vin avant de dire :

— Nous aurions ici de quoi manger pendant un an que cela ne suffirait pas pour que j'aie le temps de te raconter tous mes malheurs.

Alors, il se lance dans un long, très long récit de ses aventures. Mais, comme il doit continuer de cacher qui il est vraiment, il n'y a dans son interminable histoire pas la moindre parcelle de vérité. Cependant, Ulysse glisse parmi ses mensonges la nouvelle qu'il veut absolument faire entendre au porcher : son maître sera bientôt de retour.

— C'est ce que m'a affirmé le roi Phidon, qui m'a généreusement secouru après mon dernier naufrage. Phidon a lui-même recueilli Ulysse. Il a mis à sa disposition un vaisseau et des hommes. Si les dieux et les vents lui sont favorables, ton maître devrait aborder sur l'île d'Ithaque avant longtemps.

Cette fois, Eumée se fâche presque.

— Pourquoi crois-tu utile de me mentir ? Ne t'ai-je pas offert l'hospitalité dès que je t'ai vu, par simple pitié ? Tu n'obtiendras pas davantage de moi en inventant des fables. Plus rien ni personne ne nous ramènera Ulysse. Il a offensé les dieux et les dieux lui ont refusé le bonheur de revoir sa patrie. Cela, aujourd'hui, je le sais.

La nuit approche. Ulysse se couche, près du feu, sur un lit de peaux de chèvres et de moutons. Eumée, lui, s'en va dormir près des bêtes dont il a la garde, résolu à les défendre contre les rôdeurs et les chiens errants.

11

Le retour de Télémaque

Pour essayer d'en apprendre un peu plus sur le sort de son père, Télémaque a fait lui aussi un long voyage. Après avoir quitté l'île d'Ithaque, il s'est rendu à Pylos, sur la côte grecque, chez le vieux roi Nestor. Nestor n'est pas en mesure de le renseigner mais il lui conseille d'aller jusqu'à Sparte où règne Ménélas, l'un des plus fidèles compagnons d'Ulysse. Ménélas et Ulysse se sont battus pendant dix ans contre les Troyens, côte à côte.

À Sparte, Télémaque reçoit un accueil des plus chaleureux de la part de Ménélas et de son épouse Hélène. Hélène, qu'on dit être la plus belle de toutes les mortelles, Hélène, qui a causé le terrible affrontement entre Grecs et Troyens en quittant le roi Ménélas pour suivre jusqu'à la ville de Troie le beau prince Pâris…

Ménélas lui aussi est sans nouvelles d'Ulysse depuis très longtemps. Cependant, au cours de son difficile périple de retour, après la fin de la guerre, il a entendu dire que son ami était prisonnier d'une nymphe nommée Calypso, en une terre lointaine.

— Il est seul là-bas, ayant perdu son navire et tous ses compagnons, conclut Ménélas.

Dès lors, Télémaque sait qu'il ne lui sert à rien de s'attarder davantage à Sparte. La vie qu'il y mène est fort agréable mais il ne songe plus qu'à repartir et à regagner Ithaque.

Lorsque la déesse Athéna lui apparaît, un soir, sur le seuil du magnifique palais de Ménélas, elle n'a aucun mal à le convaincre.

— Tu ne peux plus rester ainsi loin de chez toi, Télémaque, lui dit-elle. Pendant ce temps, les prétendants dilapident ta fortune et courtisent ta mère. L'un d'eux, Eurymaque, augmente chaque jour le prix qu'il offre afin qu'elle le choisisse pour époux. Si tu tardes trop, elle finira par céder. Mais prends garde, car ces brigands ont décidé de te tendre un piège. Suis la route que je vais t'indiquer et navigue seulement de nuit… sinon, ils te tueront ! Quand tu auras abordé sur l'île, pars à la recherche d'Eumée, le porcher. Dis-lui d'aller avertir ta mère Pénélope que tu es de retour, sain et sauf.

Ayant parlé, Athéna disparaît aussi mystérieusement qu'elle est venue.

Le lendemain, dès l'aube, Télémaque se prépare au départ puis informe Ménélas de ses intentions. Le roi répond qu'il fera tout pour favoriser les projets du jeune homme. Mais, avant de le laisser partir, il tient à lui offrir un dernier repas et quelques précieux cadeaux, qu'il emportera.

Les présents sont placés dans un char tiré par deux chevaux. L'attelage conduit d'abord Télémaque à Pylos puis jusqu'au rivage où l'attend son vaisseau noir. Suivant le conseil d'Athéna, Télémaque navigue de nuit. Poussé par une douce brise, le navire passe sans encombre parmi les îlots rocheux avant d'atteindre enfin Ithaque.

Obéissant toujours aux recommandations de la déesse, le jeune homme ordonne à l'équipage de reprendre la mer pour aller jusqu'au port de la ville. Quant à lui, il débarque dans ce lieu discret, et se rend seul à la rencontre du porcher Eumée.

Dans la cabane, contre l'étable, Ulysse et Eumée ont allumé un feu pour préparer le premier repas de la journée. Tout en mangeant, Ulysse observe les chiens. Il les voit qui dressent l'oreille et remuent la queue. Puis il entend un bruit de pas.

— Eumée, dit-il, je crois que quelqu'un approche. Quelqu'un de ta connaissance, je suppose, car tes chiens n'aboient pas.

À peine a-t-il prononcé ces mots que son fils est là qui se dresse à quelques mètres de lui. Le porcher lève les yeux. Sa surprise est telle qu'il lâche le vase dans lequel il était en train de mélanger le vin. Alors, Eumée se précipite vers son jeune maître. Il lui baise le front, les yeux, les mains, et se met à pleurer comme un père retrouvant son fils après une longue absence.

— Te voilà, Télémaque ! s'exclame-t-il. Je te savais parti et l'inquiétude me rongeait. Entre donc. Il est si rare de te voir ici, aux champs. À croire que tu préfères le troupeau de ces infâmes prétendants à ceux de tes bergers.

— Je suis venu car c'est de toi que je veux apprendre la vérité, répond Télémaque. Dis-moi, cher Eumée, quelles sont les nouvelles du palais ? Ma mère résiste-t-elle toujours ou y a-t-il à présent un nouveau mari dans son lit ?

— Ta mère pleure nuit et jour, dit Eumée, mais rien ne peut ébranler sa fidélité.

Télémaque avance un peu dans l'ombre de la cabane et remarque le vieil homme assis sur une banquette. Ulysse se lève aussitôt pour lui céder la place.

— Reste assis, étranger, le prie Télémaque en tendant le bras vers lui.

Eumée s'empresse de préparer pour son maître un autre siège, en couvrant des branchages d'épaisses peaux de moutons. Puis il apporte de la viande, du pain et du vin.

Rassasié, Télémaque interroge le porcher :

— Dis-moi, brave Eumée, d'où nous vient cet étranger ? Grâce à quel navire est-il parvenu jusqu'ici ?

— Oh ! Son histoire est trop longue pour que je te la raconte. Il affirme avoir erré de ville en ville avant de finir sur un navire duquel il s'est échappé pour arriver jusqu'ici. Et il espère, je crois, que tu lui donnes l'hospitalité.

Télémaque examine le vieillard avec embarras.

— Moi ? L'emmener au palais ? Mais comment pourrais-je le protéger ? Je connais trop bien les prétendants. Ils l'insulteraient, ils le frapperaient ! Non, mieux vaut qu'il reste ici. Je vais faire apporter des habits neufs et de la nourriture pour lui, afin qu'il ne soit pas à ta charge.

Ulysse alors ne peut s'empêcher de s'écrier :

— Ah ! Comment peux-tu accepter d'être traité de la sorte ? Si j'étais plus jeune, si j'en avais encore la force, j'irais défier ces gens-là même au péril de ma vie. Oui, à ta place, je préférerais la mort plutôt que d'abandonner mon palais à un tel scandale.

— Hélas, soupire Télémaque, les prétendants sont nombreux et je suis bien seul.

Puis, s'adressant à Eumée, il ajoute :

— Toi, mon ami, cours auprès de Pénélope pour l'informer de mon retour. Dis-lui que je vais bien mais que j'estime plus prudent de ne pas quitter ce refuge pour le moment. Et, surtout, ne parle à personne d'autre. Tant de gens méditent ma perte !

Dès que le porcher s'est éloigné, Athéna fait une nouvelle apparition. Cependant, seul Ulysse est en mesure de la voir. La sublime déesse est invisible aux yeux de Télémaque. Mais les chiens, eux, ont senti sa présence. Ils se réfugient dans le fond de l'étable en poussant des geignements craintifs.

D'un ton sans réplique, Athéna lance à Ulysse :

— Le temps d'agir est venu. Parle à ton fils. Il vous faut maintenant aller jusqu'au palais et infliger aux prétendants le châtiment qu'ils méritent. Je serai à vos côtés et... il me tarde de combattre !

À ces mots, la déesse touche Ulysse de sa baguette d'or. Aussitôt, le héros retrouve sa jeunesse et sa belle allure. Et, sur son dos, ses haillons se transforment en vêtements frais et neufs.

Lorsque Télémaque se retourne vers le vieillard, il pousse un cri d'effroi. La métamorphose est si extraordinaire qu'il croit voir apparaître un dieu. Car, bien sûr, il n'a aucun souvenir de ce père qu'il n'a pour ainsi dire jamais connu.

— Es-tu donc descendu de l'Olympe ? bredouille-t-il. Que me veux-tu ? Que puis-je pour te plaire ?

Ulysse éclate de rire.

— Non, je ne suis pas un dieu. Je suis ton père, Télémaque, ce père qui t'a fait verser tant de larmes.

Ulysse s'approche de son fils pour l'étreindre mais le jeune homme a un mouvement de recul, toujours sous le coup de la terreur.

— Non, ce n'est pas possible. Tu ne peux pas être mon père. Il y a un instant, tu n'étais qu'un vieillard couvert de loques et maintenant... Aucun homme n'a le pouvoir de se transformer de cette façon. Seul un dieu peut accomplir un tel prodige.

— Tu as raison, répond Ulysse. J'ai vécu mille aventures, j'ai beaucoup souffert mais celui qui revient aujourd'hui dans sa patrie après vingt ans d'absence n'est qu'un simple mortel. Si j'ai triomphé de tant de périls, c'est qu'Athéna a souvent été là pour me secourir. Elle seule a le pouvoir de faire ce que tu viens de voir. Elle seule peut transformer à volonté un homme encore jeune en un vieillard misérable. Elle seule peut lui rendre ensuite sa véritable apparence.

Cette fois, Télémaque est convaincu. Alors, le père et le fils tombent dans les bras l'un de l'autre. Plus rien ne peut retenir leurs larmes et leurs sanglots.

Après avoir écouté son père lui raconter comment, grâce aux Phéaciens, il a réussi à rentrer enfin chez lui, Télémaque l'interroge sur ses intentions.

— Je suis ici, selon le désir d'Athéna, pour châtier mes rivaux. Les prétendants n'auront que ce qu'ils méritent : la mort. Mais, dis-moi, qui sont-ils, combien sont-ils ?

Télémaque secoue la tête avec tristesse.

— Hélas, mon père, ils sont bien trop nombreux. J'ai entendu vanter ta sagesse et ton courage, mais comment pourrions-nous lutter contre eux, nous qui ne sommes que deux ? Car ils ne sont pas dix ni vingt, mais plus d'une centaine sans doute, avec leurs serviteurs. Ces brigands occupent ton palais en maîtres et nous ne pourrons les en déloger. À moins que tu ne connaisses des alliés capables de venir à notre secours ?

— Des alliés, je vais t'en nommer deux, répond Ulysse. L'un est Zeus, le père de tous les dieux. L'autre est Athéna la guerrière. Ne penses-tu pas qu'une telle aide nous sera suffisante ?

— Voilà des alliés qui trônent un peu trop haut dans les nuages à mon goût, dit Télémaque. Mais je dois admettre qu'il est difficile d'en trouver de plus puissants !

— Attends de les voir à l'œuvre. Tu n'auras plus le moindre doute à ce sujet ! Bien. Demain, tu te rendras au palais. J'irai de mon côté sous les traits d'un misérable vieillard, en compagnie d'Eumée. Fais semblant de m'ignorer. Même si tu vois qu'on me maltraite, ne dis rien. Quand viendra le moment d'agir, tu le sauras.

Pendant ce temps, le porcher Eumée est arrivé au palais d'Ulysse. Comme Télémaque le lui a ordonné, il traverse la grande salle et se dirige vers la reine. Et tous peuvent l'entendre tandis qu'il annonce à Pénélope que son fils est rentré sain et sauf de son voyage à Pylos et à Sparte.

Eumée ne s'attarde pas. Il repart immédiatement vers sa porcherie, où l'attendent Ulysse et Télémaque. Mais, derrière lui, la rumeur se répand vite. Télémaque est de retour !

Chez les prétendants, c'est la consternation. Ils pensaient pourtant avoir tendu un piège fatal au jeune prince. Or, son navire, apparemment, a échappé à l'embuscade. Antinoos, le plus ardent de tous les soupirants de Pénélope, laisse éclater sa colère.

— Il faut croire que les dieux le protègent ! Mais il ne perd rien pour attendre. S'il n'est pas mort sur la mer, il mourra ici. Finissons-en au plus vite. Lui vivant, jamais nous ne parviendrons à nos fins. Il dressera le peuple contre nous et fera échouer nos projets.

Tous ne sont pas de son avis. Certains parmi les prétendants estiment que ce serait un crime impardonnable que d'attenter froidement à la vie d'un fils de roi. Mais aucun de ceux-là n'a autant d'influence que le cupide Antinoos. Et, pour la plupart, l'idée de se partager les richesses d'Ulysse est fort tentante.

Quand Eumée regagne son domaine, il trouve Télémaque et Ulysse en train de dévorer le porcelet qu'ils ont fait rôtir. Mais, bien sûr, il ne reconnaît pas son maître. Athéna est de nouveau passée par là avec sa baguette d'or et Ulysse a repris son apparence de vieillard vêtu de haillons.

12

Ulysse le mendiant

Dès son réveil, Télémaque chausse ses sandales et s'empare de sa lance. Aussitôt, il avertit le porcher Eumée de ses intentions.

— Je vais au palais rendre visite à ma mère. Je la connais. Même si on lui a annoncé mon retour, elle ne sera rassurée que quand elle m'aura vu. Toi, conduis l'étranger jusqu'à la ville, qu'il y mendie son pain. Je ne sais quel accueil on lui réservera mais j'ai trop de soucis pour me charger de lui éternellement.

Ulysse approuve. C'est lui qui a inspiré cette idée à Télémaque. Ainsi, en demandant la charité aux gens de son pays, il saura s'il y a encore dans les cœurs un peu de générosité.

Courbé sur son bâton, le héros déguisé en misérable vieillard regarde s'éloigner son fils d'un pas rapide.

Parvenu au palais, Télémaque se rend immédiatement à la chambre conjugale où se trouve Pénélope. La reine pousse un cri de joie en l'apercevant.

— Ô lumière de ma vie ! s'exclame-t-elle en le serrant contre elle, je craignais tant de ne jamais te revoir. Mais, dis-moi, as-tu appris quelque chose au cours de ton voyage ?

— Sèche tes larmes, ma mère, répond Télémaque. Bientôt, tu sauras tout. Mais, pour l'heure, choisis tes plus beaux vêtements et descends à la grande salle du palais. Le moment de la vengeance approche !

Sans un mot, Pénélope regarde son fils sortir de la chambre.

Télémaque lui aussi doit se préparer. Il va se baigner dans un bassin de marbre. Puis, après que les servantes ont frotté son corps d'huile, il passe une robe et un manteau de laine.

Quand il traverse la grande salle du palais, chacun s'incline avec respect sur son passage, même ceux qui en secret ne font que méditer sa mort.

Pénélope l'attend, filant sa quenouille. On apporte à la reine et à son fils du pain, du vin et des morceaux de choix. Torturée par l'inquiétude, Pénélope presse Télémaque de lui répondre enfin.

— Vas-tu me laisser verser toutes les larmes de mes yeux avant de me parler ? Qu'as-tu donc entendu dire ? Sais-tu quelque chose à propos de ton père ?

Télémaque entreprend le récit de ses aventures. Non, il n'a rien appris à Pylos, chez le roi Nestor. Mais à Sparte, où l'ont accueilli Ménélas et Hélène, il a reçu des raisons d'espérer.

— On dit qu'Ulysse a été longtemps retenu prisonnier par la nymphe Calypso. Pendant des années, il s'est lamenté sans pouvoir quitter cette île lointaine.

Le visage de Pénélope s'éclaire. Ulysse est donc toujours vivant !

— Est-ce tout ? demande-t-elle d'une voix craintive.

— C'est tout ce que je sais avec certitude, répond Télémaque avec prudence. Mais certaines prédictions sont parvenues à mes oreilles. On affirme qu'Ulysse sera bientôt de retour. On murmure même qu'il serait déjà là, à Ithaque, caché quelque part. Et qu'il prépare sa vengeance contre les prétendants.

— Ah ! s'écrie Pénélope. Si cela pouvait être vrai !

Et, prononçant ces mots, la reine tourne son regard vers la vaste esplanade où, devant le palais, les prétendants rivalisent de force et d'adresse en riant : ils lancent le disque ou le javelot, leurs jeux favoris.

Au même moment, Ulysse et Eumée se mettent en route. Le roi d'Ithaque, alors, n'a pour sceptre qu'un bâton. Cet appui est bien utile au vieillard couvert de haillons car le chemin qui mène vers la ville est escarpé.

Près de la fontaine qui fournit son eau fraîche aux habitants de la cité, les deux hommes croisent un certain Mélanthée, chevrier grâce auquel les prétendants ne manquent jamais de beaux chevreaux à faire rôtir. Mélanthée les apostrophe d'un ton plein de hargne :

— Tiens ! Voilà le roi des gueux en compagnie d'un de ses pareils ! Et où conduis-tu ce goinfre, misérable porcher ? Ah ! si tu me le prêtais, je saurais comment l'occuper. Il y a toujours des étables à nettoyer ou du fumier à ramasser. Mais je parie qu'il refuserait. Il préfère tendre la main plutôt que de la faire travailler ! Eh bien, qu'il aille donc mendier chez ton maître Ulysse, ce ventre sur pattes. Son dos apprendra ce qu'est une bonne volée de coups de bâton !

Alors, comme il passe près d'Ulysse, le chevrier lui décoche un méchant coup de pied dans le tibia. Ulysse encaisse sans broncher. L'espace d'un instant, l'envie le dévore de lever sa canne et d'en fracasser le crâne de l'insolent. Mais il se retient, sachant que le temps n'est pas venu de révéler sa véritable nature.

— Ah ! si mon maître était là, bougonne Eumée. Il aurait vite fait de débarrasser cette île de pareilles canailles !

Laissant derrière lui Eumée et le vieillard à leur marche pesante, Mélanthée file vers le palais. Alors qu'il parvient à son tour devant la belle demeure, Ulysse fait une autre rencontre. Là, devant lui, couché sur le sol, il aperçoit un vieux chien pelé dont la silhouette lui est familière.

— Argos ! murmure-t-il. Est-ce possible ?

Voyant l'animal lever la tête et dresser les oreilles à son approche, Ulysse n'a plus de doute.

Vingt ans après, le vieux chien Argos reconnaît encore celui qui, autrefois, lui jetait sa nourriture.

— C'était le chien de mon maître, lui dit Eumée. Il n'y avait pas meilleur que lui à la chasse. Mais, depuis qu'Ulysse est parti, personne ne s'occupe plus de lui comme il faut.

À cet instant, la tête d'Argos retombe. Un voile noir couvre ses yeux. C'est comme si la vieille bête avait attendu fidèlement le retour de son maître pour se résoudre à passer enfin dans le royaume des ombres.

Eumée entre le premier dans la grande salle du palais. Ulysse le suit de près mais reste sur le seuil où il s'assoit de façon humble, comme il convient à un mendiant. Tous les prétendants sont là, rassemblés une fois de plus autour des tables chargées de victuailles.

Télémaque aperçoit Eumée et lui demande d'approcher. Prenant une miche de pain et quelques morceaux de viande, il les tend au porcher en disant :

— Va porter ceci à ce misérable étranger. Et qu'il aille ensuite mendier auprès de chacun des prétendants.

Ulysse accepte la nourriture avec reconnaissance. Il pose les dons de Télémaque sur sa répugnante besace et se met à manger en songeant aux conseils que lui a donnés Athéna. La déesse lui a recommandé d'aller demander la charité à chacun des prétendants, afin de distinguer ceux qui ont du cœur et ceux qui n'en ont pas.

Toujours sous son apparence de vieillard vêtu de haillons, le roi d'Ithaque se lève et va vers les prétendants. Il passe devant eux en tendant la main et prend ce qu'on lui offre. Les prétendants sont surpris de voir au palais cet homme qu'ils ne connaissent pas. Ils donnent par pitié et peut-être aussi par crainte, sachant que parfois les dieux viennent éprouver ainsi la générosité des mortels.

L'un d'eux cependant ne se laisse pas facilement attendrir. Antinoos, le plus pressant des soupirants de Pénélope, jette sur le misérable vieillard un regard méprisant avant de se tourner vers Eumée :

— Eh bien, porcher, ne crois-tu pas qu'il y a déjà assez de vagabonds et de mendiants dans cette ville ? Et n'y a-t-il pas assez de gens dans ce palais pour dévorer les biens de ton maître ? Était-il vraiment utile d'en inviter un de plus ?

Eumée ouvre la bouche pour défendre l'étranger mais c'est Ulysse qui répond à sa place.

— Donne, ami, dit-il à Antinoos. De toutes les personnes présentes, tu me sembles être le chef. Aucun homme ici n'a plus belle allure que toi. De tous, tu dois donc te montrer le plus généreux. Moi aussi, autrefois, je possédais une belle demeure et je vivais entouré de richesses. Jamais je n'ai refusé la charité à un malheureux. Hélas, les dieux m'ont tout pris et me voilà, aujourd'hui, obligé de tendre la main.

— Va donc la tendre ailleurs ! hurle Antinoos. Tu gâches notre festin. Ah ! c'est vrai que beaucoup, dans cette salle, sont disposés à donner sans compter. Cela ne leur coûte pas cher puisqu'ils offrent ce qui ne leur appartient pas !

Ulysse s'éloigne prudemment tout en répliquant :

— Tu as belle allure mais ton cœur est sec. Si tu étais dans ta propre maison, sans doute ne ferais-tu pas même cadeau d'un grain de sel. Mais ici, dans la demeure d'un autre, si tu es avare avec moi… à toi-même, tu ne te refuses rien !

Antinoos se lève, fou de rage, et empoigne son siège en s'écriant :

— Je vais te faire regretter ces paroles !

Et d'un geste violent, il abat le siège sur le dos d'Ulysse. À la surprise générale, le vieillard encaisse le coup sans broncher, solide comme un roc.

Puis Ulysse se retire dignement, accompagné par un murmure désapprobateur. La façon dont Antinoos vient de traiter le mendiant choque la plupart des prétendants.

Télémaque, pour sa part, a du mal à maîtriser sa colère. Il lui est difficile de laisser ainsi frapper son père sans réagir. Tout en lui crie vengeance, mais, même si cela torture son cœur, il sait qu'il doit encore patienter.

Pénélope, à ce moment, est retournée dans sa chambre. C'est là qu'elle apprend le scandale qui vient de se produire dans sa demeure.

— Comment ? s'indigne-t-elle. On a osé frapper chez moi un étranger ! Décidément, l'âme d'Antinoos est plus noire que la suie.

Elle demande à ses servantes d'aller chercher le porcher Eumée. Et, à celui-ci, elle dit :

— Fais venir ici ce mendiant. Je voudrais lui parler. À ce qu'on raconte, il a beaucoup voyagé. Qui sait ? peut-être a-t-il recueilli ici ou là des nouvelles de mon pauvre Ulysse.

— Ce vieillard m'a fait en effet le récit de ses aventures et je dois avouer que c'est un excellent conteur. Mais je ne sais s'il faut croire tout ce qu'il dit. D'après lui, Ulysse serait bien vivant et même sur le point de rentrer à Ithaque.

— Amène-le moi immédiatement ! Je veux entendre cela de sa bouche ! Ah ! mon Ulysse ! Ah ! s'il revenait ! Ces gens qui passent leurs journées à dévorer nos biens recevraient enfin le paiement de leurs crimes.

Eumée s'empresse d'obéir et d'aller avertir le mendiant que la reine désire l'interroger.

— Si tu as dit la vérité, Pénélope te récompensera. Elle a promis de t'habiller de neuf, de te donner une robe et un manteau.

Embarrassé, Ulysse répond qu'il craint de traverser de nouveau le palais où les prétendants ne songent qu'à lui réserver un mauvais sort.

— Le plus sage est d'attendre la nuit, juge-t-il. Alors, quand la salle se sera vidée, je me rendrai auprès d'elle et lui dirai tout ce que je sais.

La reine reçoit avec surprise et déception la réponse que lui transmet le porcher.

— Ce sera mieux ainsi, assure Eumée. Tu pourras lui parler seule à seul, sans témoins gênants.

Pénélope acquiesce.

— Oui, il a raison. Cet homme n'est pas sot, Eumée.

Le porcher se retire et va faire ses adieux à Télémaque. Pour lui, le moment est venu de quitter la ville et de retourner auprès des troupeaux dont il a la garde.

— Très bien, dit Télémaque. Mais sois de retour demain et apporte quelques bêtes choisies parmi les plus belles. Si tout va bien, nous aurons une victoire à fêter.

13

Le duel des mendiants

Ulysse n'est pas le premier, loin de là, à tendre la main dans l'île d'Ithaque. Et, de tous ceux qui ont eu l'occasion d'y demander la charité, il en est un particulièrement célèbre pour sa gloutonnerie. Il se nomme Iros et, malgré sa stature imposante, il ne se signale ni par sa force ni par son courage. En revanche, quand il s'agit de boire et de manger, personne ne peut l'égaler.

Quand il entre au palais ce jour-là, Iros voit d'un très mauvais œil la présence d'un mendiant venu lui faire concurrence.

— File de là ! lance-t-il à Ulysse. Il n'y a pas de place ici pour deux. Allez, dépêche-toi de déguerpir. Ne m'oblige pas à maltraiter un vieillard.

— Que me reproches-tu ? lui demande Ulysse. Est-ce que j'empêche quelqu'un de te donner à toi aussi ? Ce n'est pas toi qui régales, il me semble. Alors, laisse-moi tenter ma chance. Et ne me provoque pas, cela vaudra mieux pour toi, car tu pourrais bien le regretter.

Stupéfait de voir le vieil homme lui tenir tête, Iros réplique avec colère :

— Oh ! mais en voilà, un joli discours ! Eh bien, on va voir si tu parles toujours aussi bien quand mes poings auront fait tomber toutes tes dents ! Allez, prépare-toi à te battre. Tu vas comprendre ce qu'il en coûte de s'attaquer à plus jeune que soi !

La scène se déroule sur le seuil du palais, près des hautes portes. Mais Antinoos n'en a pas perdu une miette. Hilare, il s'exclame :

— Mes amis, je crois que les dieux nous envoient un merveilleux divertissement. Iros et l'étranger ont décidé de livrer bataille. Encourageons-les !

Aussitôt, tous les prétendants accourent et forment un cercle autour des deux hommes afin d'assister à l'affrontement.

— Le vainqueur sera notre invité ! décrète Antinoos. Ce soir et tous les autres soirs. Il deviendra notre pauvre et lui seul aura le droit de mendier ici.

Le rusé Ulysse demande alors :

— Mais d'abord, jurez-moi que ce combat sera loyal et que personne ne tentera d'aider Iros. Il est plus jeune et plus fort que moi... J'aurai déjà assez de mal comme ça.

Tous jurent en riant, estimant qu'en effet le misérable vieillard n'a aucune chance de résister aux assauts de son adversaire. Pourtant, quand Ulysse retrousse ses haillons, les prétendants poussent un cri étonné. Athéna est passée par là : en un instant elle a rendu au héros toute sa vigueur. Devant ce corps aux cuisses musclées et aux bras puissants, les spectateurs changent d'avis.

— Notre pauvre Iros va recevoir la raclée qu'il a cherchée, disent-ils à présent. Regarde un peu comment le vieux est bâti sous ses loques !

De toute évidence, Iros n'a plus qu'une idée : disparaître au plus vite. Mais les prétendants s'amusent trop pour le laisser filer.

— Comment ? se moque Antinoos. Tu trembles devant ce vieillard affamé ? Allez, bats-toi et prends garde ! Si jamais tu laisses la victoire à cet étranger, je t'envoie chez un roi de ma connaissance célèbre pour sa cruauté. Il te tranchera le nez et les oreilles pour les jeter en pâture à ses chiens !

On pousse vers le centre du cercle un Iros frissonnant de terreur. Voyant son adversaire se mettre en position de combat, Ulysse hésite un instant. Il se sait capable de lui fracasser le crâne d'un coup. Mais, en montrant ainsi sa force, il risque de se trahir. Il juge donc plus judicieux de ne pas châtier le mendiant trop durement.

Iros frappe le premier. Son poing atteint Ulysse à l'épaule, sans le moindre effet. Mais, quand Ulysse réplique, touchant son rival au cou, juste sous l'oreille, on entend un sinistre craquement. Iros s'effondre en émettant un affreux gémissement tandis que le sang coule à flots de sa bouche.

Les prétendants s'esclaffent et se tapent sur les cuisses en regardant le pauvre Iros se rouler de douleur dans la poussière. Ulysse prend alors sa victime par un pied et la tire au-delà de l'entrée, jusqu'au grand mur d'enceinte du palais. Laissant Iros appuyé là, son bâton dans les mains, il lui dit :

— Voilà ta place, désormais. Contente-toi d'éloigner les chiens errants et les porcs égarés.

Mais ne t'avise plus jamais d'insulter mendiants ou étrangers. Sinon, la prochaine fois, ta punition sera bien pire.

Puis Ulysse revient s'asseoir sur le seuil de la grande salle, où il reçoit les félicitations générales.

— Ah ! grand merci ! lui dit-on. Grâce à toi, nous voilà débarrassés de ce ventre insatiable.

Et, sans cesser de l'acclamer, ils lui apportent du pain, des viandes et du vin.

Dans sa chambre, Pénélope éprouve soudain l'envie de se montrer aux prétendants afin de troubler plus encore leurs cœurs. Désir inhabituel chez elle qui toujours fuit la convoitise de ces hommes, désir qui d'ailleurs l'étonne elle-même. La reine ne peut deviner que c'est la déesse Athéna qui l'inspire.

Pénélope fait part de ses intentions à sa servante, qui lui répond :

— Va les voir si tu veux, mais, avant, baigne tes yeux gonflés par les larmes et farde tes joues.

— Que m'importe mon apparence, soupire Pénélope. Ma beauté a été détruite par le chagrin, le jour où Ulysse s'est éloigné de moi.

Mais Athéna ne l'entend pas ainsi. Dès que la servante a quitté la chambre, Pénélope se sent gagnée par le sommeil. Elle s'allonge et s'endort. Alors, la déesse lui fait don d'une nouvelle jeunesse. Avec son visage reposé et sa peau blanche comme l'ivoire, la reine est plus belle que jamais.

Quand elle descend, un peu plus tard, dans la grande salle du palais, Pénélope arrache aux prétendants un murmure d'admiration. Comment ne rêveraient-ils pas tous de prendre place à ses côtés dans ce qui fut le lit d'Ulysse ?

La reine s'approche de son fils et l'accable soudain de reproches.

— Je te croyais plus sensé et charitable, Télémaque, dit-elle. À ce qu'on raconte, tu as permis qu'on insulte un étranger qui était l'hôte de cette maison. Quelle honte pour toi et pour nous tous !

Télémaque baisse la tête, avouant :

— Ta colère est justifiée, ma mère. Mais j'ai bien du mal à me faire respecter, ici, parmi ces hommes qui ne pensent qu'au mal. Enfin, la lutte entre Iros et l'étranger ne s'est pas terminée comme les prétendants le souhaitaient. Et je prie les dieux pour que bientôt tous ces brigands subissent le même sort qu'Iros. Oui, qu'on les voie incapables de se tenir debout tant ils auront été roués de coups !

L'intervention de Télémaque jette un froid parmi les prétendants. Mais, plutôt que de répliquer, ceux-ci préfèrent redoubler d'ardeur auprès de Pénélope.

— Nous sommes nombreux à te courtiser, dit l'un d'eux, mais nous le serions encore davantage si tout le monde pouvait te voir comme nous te voyons aujourd'hui.

— Aucune femme ne peut rivaliser avec ta beauté, dit un autre.

— Ni avec ta grâce !

— Ni avec ton esprit !

— J'ai cru tout perdre en perdant mon époux, répond Pénélope. Vous prétendez me consoler de ce malheur, mais quelles étranges manières ! Ne connaissez-vous pas les coutumes ? Ne savez-vous pas que pour obtenir les faveurs d'une noble femme on fait assaut de générosité ? Ce sont les prétendants qui lui offrent les bœufs et les moutons gras, ce sont eux qui apportent de précieux cadeaux. Oui, telle est la coutume… et non de ruiner sa maison !

En entendant ce discours, les prétendants imaginent sans doute que leur patience va enfin être récompensée et que Pénélope choisira bientôt l'un d'entre eux. Alors, ils envoient tous un de leurs serviteurs chercher pour la reine un somptueux présent.

Antinoos fait apporter un voile brodé fermé par des agrafes d'or. Eurymaque offre un collier d'or et d'ambre, un autre des boucles d'oreilles ornées de grosses perles. Ulysse suit la distribution d'un œil narquois. Quand elle est terminée, Pénélope regagne sa chambre, suivie de ses servantes chargées de cadeaux.

14

Le bain de pieds

Le soir venu, les prétendants quittent le palais et rentrent chez eux. Resté seul dans la grande salle, Ulysse songe à sa vengeance. Bientôt rejoint par Télémaque, il explique à son fils ce qu'il a décidé.

— Télémaque, il faut enlever de cette salle toutes les armes qui s'y trouvent.

Il lui désigne les glaives, les lances, les boucliers et les casques qui constituent dans la vaste pièce un décor guerrier. Ulysse sait qu'au moment où il mettra enfin son plan à exécution, ces armes, en tombant entre les mains des prétendants, pourraient lui être fatales.

— Si on t'interroge, dit-il à son fils, réponds que tu as agi par prudence. Dis-leur que tu crains que la rivalité entre les soupirants de la reine n'entraîne un affrontement sanglant.

Télémaque fait signe qu'il a compris.

— Bien. Tu peux aller dormir à présent. Ta mère ne devrait pas tarder. Je crois qu'elle souhaitait parler à l'étranger qui a été maltraité chez elle... et moi, je désire connaître mieux le fond de ses pensées.

Télémaque s'éloigne en direction de sa chambre tandis qu'Ulysse attend dans la grande salle que vienne son épouse.

Pénélope arrive accompagnée d'une de ses servantes qui, aussitôt, se précipite vers Ulysse comme une furie.

— Encore là à traîner, toi ! s'écrie-t-elle d'un ton hargneux. Est-ce que tu n'as pas le ventre assez plein ?

Ulysse la foudroie du regard.

— Pourquoi m'insultes-tu ainsi ? Parce que je suis vieux et pauvre ? Autrefois, j'étais jeune et je vivais heureux dans une riche demeure. Fais attention, femme, car les dieux pourraient bien te prendre à toi aussi tout ce que tu as. Ta jeunesse, ta beauté ou la confiance de tes maîtres.

La servante ouvre la bouche pour répliquer mais Pénélope la fait taire.

— Ça suffit, chienne effrontée ! s'exclame la reine. Tu sais très bien que je désire interroger cet homme. Tu m'as entendue le dire devant toi !

Puis Pénélope prie le vieillard de s'asseoir auprès d'elle sur un siège couvert d'une peau de bête.

— Dis-moi, lui demande-t-elle, d'où viens-tu ? Dans quel pays es-tu né ?

— Chacun connaît ta grande sagesse et il est bien normal que tu me poses ces questions, réplique Ulysse. Pourtant, permets-moi de ne pas répondre. Ma souffrance est si grande quand je pense à ma patrie perdue que je préfère ne pas en parler.

Pénélope hoche la tête avec compréhension.

— Oui, dit-elle, pour moi aussi rien d'autre ne compte que le chagrin d'avoir perdu celui qui était tout pour moi.

Soudain désireuse de se confier, Pénélope se met à raconter à l'étranger la ruse qu'elle a imaginée pour décourager les prétendants.

— Pendant trois ans, j'ai promis de choisir un nouvel époux le jour où j'aurais achevé de tisser le linceul qui enveloppera à sa mort le corps de Laërte, le père d'Ulysse. Le jour, je tissais en effet mais, la nuit, je défaisais mon ouvrage. Puis, au printemps dernier, mes servantes m'ont trahie et ont révélé la supercherie. Que de reproches j'ai entendus alors ! Et comment repousser encore les demandes de ces soupirants ? J'avoue être à bout d'idées.

Pénélope s'interrompt un instant avant de reprendre d'un ton insistant :

— Je t'ai ouvert mon cœur. Tu ne peux plus refuser de me parler. Qui es-tu, comment es-tu arrivé ici ?

Cette fois, Ulysse est bien obligé de répondre. Comme il sait si bien le faire, il se lance alors dans un long récit fertile en aventures de toutes sortes. Des aventures qui sortent intégralement de son imagination. Il évoque ainsi le temps où il vivait heureux, dans une riche demeure… et prétend avoir reçu chez lui Ulysse alors que le héros se rendait à Troie.

— La tempête avait contraint Ulysse et ses hommes à s'abriter sur la côte, près de chez moi. Pendant douze jours, je les ai hébergés.

Les mensonges qui sortent de la bouche d'Ulysse sonnent si vrai que Pénélope ne peut empêcher ses larmes de couler à l'évocation de son cher mari. Ulysse sent son cœur se briser devant le chagrin de son épouse. Mais ses yeux restent secs. Il doit encore tenir secrète sa véritable identité.

— Ô étranger ! s'écrie Pénélope. J'aimerais tellement te croire. Peux-tu seulement me donner une preuve qu'il s'agissait bien d'Ulysse et de ses compagnons ?

— C'est si loin, répond Ulysse. Vingt ans se sont écoulés. Pourtant, je le revois comme si c'était hier, avec son manteau pourpre qu'attachait une agrafe d'or. Une véritable œuvre d'art que cette agrafe. Elle représentait un chien tenant un faon entre ses pattes.

Pénélope blêmit, tant son émotion est forte.

— Je sais maintenant que tu dis vrai. Ces habits, je les avais choisis moi-même. Et cette agrafe, c'est moi qui l'ai fermée au moment de son départ. Ah ! je voulais tant qu'il soit beau ! Quand je pense que je ne le reverrai jamais…

Ulysse en entendant ces mots comprend qu'il a le devoir de réconforter sa malheureuse épouse.

— Cesse de te lamenter et écoute-moi. J'ai la certitude qu'Ulysse sera bientôt de retour. Là d'où je viens, on dit qu'il a été recueilli par les Phéaciens qui l'ont traité en héros. Le roi Alcinoos a été pour lui d'une immense générosité. Il lui a offert de grandes richesses et a mis à sa disposition un navire. Crois-moi, il est sauvé. Mais doit-il revenir en secret ou paraître au grand jour, c'est la question qu'il se pose.

— Ah ! s'il pouvait en être ainsi, soupire Pénélope. Ma reconnaissance pour toi serait infinie. Hélas, rien ne peut plus faire renaître l'espoir en moi.

Appelant ses servantes, la reine leur ordonne de prendre soin de l'étranger, de le baigner, de lui donner des vêtements propres et de préparer pour lui une couche confortable. Mais Ulysse refuse, affirmant qu'il s'est habitué à sa vie misérable et n'en souhaite plus d'autre.

— Qu'au moins on te lave les pieds, insiste Pénélope.

— Non, ma reine. Je ne vois pas les jeunes filles qui t'entourent laver les pieds du pauvre mendiant que je suis. Cela, je ne pourrais l'accepter que d'une très vieille femme au cœur plein de sagesse.

Pénélope approuve l'attitude noble de son hôte.

— Très bien. Je vais faire chercher quelqu'un qui certainement te conviendra. Cette servante vit comme moi dans le chagrin depuis le départ d'Ulysse car c'est elle qui l'a nourri et élevé depuis le jour de sa naissance. Elle est tout usée par les ans mais elle ne refusera pas de te laver les pieds.

Lorsqu'elle découvre l'étranger, la vieille nourrice semble troublée.

— Bien sûr, tu es beaucoup plus âgé, dit-elle, mais quelque chose en toi me rappelle mon cher maître. La même allure, la même démarche…

— On me l'a déjà dit, glisse malicieusement Ulysse.

— La même voix aussi, ajoute la servante, de plus en plus émue.

Dans un grand bassin, elle mélange eau chaude et eau froide. Puis, comme elle vient de s'agenouiller pour laver les pieds du mendiant, la vieille nourrice pousse un cri de stupeur. Elle a reconnu là, sur sa jambe, la cicatrice faite par un sanglier au jeune Ulysse lors d'une partie de chasse.

De saisissement, la servante lâche le pied d'Ulysse qui, en retombant, renverse la bassine. Toute l'eau se répand sur le sol.

— Ulysse… cher enfant, est-ce toi ?

Ulysse attrape la vieille femme à la gorge, presque brutalement, au moment où elle s'apprête à alerter Pénélope.

— Silence, nourrice ! Veux-tu me perdre ? Personne ne doit connaître ma présence ici jusqu'au jour où je tirerai vengeance des prétendants.

— Il n'existe pas femme plus fidèle que moi, jure la nourrice. On ne peut en dire autant de toutes tes servantes et, quand viendra le moment de ta vengeance, je te nommerai celles qui t'ont trahi.

— Inutile, nourrice, il me suffira de les regarder pour le savoir !

La vieille femme se relève et va chercher de l'eau pour remplir à nouveau le bassin. Puis elle lave les pieds de son maître et les adoucit avec de l'huile fine.

Cela fait, Pénélope revient vers l'étranger qui, à présent, se réchauffe devant le feu de la cheminée.

— J'ai pris une décision, lui annonce-t-elle. Il ne m'est plus possible de repousser éternellement le moment de choisir l'un de mes nobles prétendants et de quitter cette maison. Voilà. Je vais leur proposer un jeu auquel Ulysse, autrefois, était très habile. Il s'agit de planter douze haches et de tirer une flèche afin qu'elle traverse tout le rang en passant par le trou de chaque fer. Si l'un des prétendants réussit, je le suivrai.

— Excellente idée ! s'exclame Ulysse. Organise donc ce concours. Et, crois-moi, Ulysse sera de retour avant qu'un seul de tes prétendants ait pu tendre la corde de son arc.

15

L'épreuve de l'arc

Le lendemain, comme chaque jour, la foule des prétendants se présente au palais. Dès le matin, le porcher, le chevrier, le bouvier ont amené à leur intention les plus belles bêtes des troupeaux d'Ulysse. Les feux s'allument. Bientôt rôtissent porcs, chèvres et bœufs.

Tandis que tous partagent le festin, Ulysse mange seul dans son coin, assis à une petite table. C'est là qu'il doit subir les moqueries et les insultes des plus insolents des prétendants. L'un d'eux, même, tente de lui lancer à la tête un sabot de bœuf. Il le manque mais provoque ainsi la fureur de Télémaque.

La tension monte dans la grande salle du palais, comme si chacun devinait qu'approche l'heure où vont se régler les comptes. L'après-midi, alors que les ventres sont bien remplis, Pénélope apparaît en haut de l'escalier. Dans une main elle tient l'arc d'Ulysse, dans l'autre son carquois chargé de flèches.

— Écoutez ! clame-t-elle à l'adresse des prétendants. Écoutez, vous qui depuis tant d'années ruinez cette maison et ne trouvez d'autre excuse à vos actes que l'ambition de me prendre pour épouse. Voici l'arc de mon cher Ulysse. Si l'un de vous se montre capable d'en tendre la corde et de traverser d'une flèche les douze trous des douze haches plantées en terre, je le suivrai. Je quitterai cette demeure et je deviendrai sa femme.

Pénélope remet l'arc et les flèches au porcher Eumée afin qu'il les apporte aux prétendants.

— Je me souviens d'avoir vu Ulysse réussir cet exploit, commente Antinoos. J'étais encore très jeune, à l'époque, mais cela m'avait frappé. Il faut être très fort et je ne suis pas sûr qu'aucun de nous soit capable d'en faire autant.

Mais, bien sûr, Antinoos rêve secrètement de triompher de l'épreuve.

— Vous voulez ma mère, intervient soudain Télémaque, mais moi je désire qu'elle reste ici auprès de moi. Et pourquoi n'aurais-je pas le droit de me mesurer à vous ? Je vais tenter ma chance, moi aussi. Si je réussis, personne ne m'arrachera ma mère.

Le jeune homme va alors planter les fers des haches en terre, alignant les trous par où, habituellement, passe le manche. Son aisance est saluée par un murmure d'admiration. Puis, s'étant reculé, il saisit l'arc et tente de le bander. Il essaie une première fois, en vain. Puis recommence, sans succès. Trois fois, il échoue, car il faut une force surhumaine pour tendre la corde de cet arc.

Télémaque voudrait s'obstiner mais Ulysse, d'un signe, lui ordonne de renoncer.

— Sans doute suis-je trop jeune encore ou peut-être mon bras sera-t-il toujours trop faible, se résigne Télémaque. Eh bien, à vous, maintenant, à vous qui êtes plus forts que moi !

Il pose l'arc sur le sol et retourne vers son siège.

— Allez ! De gauche à droite, chacun à son tour ! décide Antinoos.

Un homme s'avance et s'empare de l'arme. Mais le bois robuste de l'arc frémit à peine entre ses doigts. Il ne peut tendre la corde.

— Essayez donc ! lance-t-il aux autres prétendants. Moi, je crois que l'épreuve est au-dessus de nos forces. Ce n'est pas aujourd'hui que Pénélope appartiendra à l'un de nous.

— Tu me désoles, réplique Antinoos, ironique. Il faudrait donc que nous perdions espoir parce que ta mère a mis au monde un enfant chétif ?

Antinoos sait que l'arc n'a pas servi depuis de longues années. Il demande qu'on ranime le feu dans la cheminée et qu'on apporte du suif. En chauffant l'arc, en le graissant, il espère l'assouplir. Ainsi, il sera plus facile de le bander.

Pourtant, l'un après l'autre, tous les prétendants échouent. Bientôt, il ne reste plus qu'Antinoos à n'avoir pas essayé.

Ulysse observe la scène avec satisfaction. Remarquant qu'Eumée et le bouvier sont sur le point de quitter le palais, il les suit jusqu'à la cour et les appelle.

— Dites-moi, vous deux, leur demande-t-il, si jamais Ulysse était de retour, à qui irait votre soutien ? À votre ancien maître ou aux prétendants ?

Le porcher et le bouvier lui font la réponse espérée : personne ne peut remplacer Ulysse dans leur cœur.

— Eh bien, il est devant vous ! C'est moi, Ulysse ! Et je saurai vous récompenser de votre fidélité.

Devant l'air incrédule des deux hommes, Ulysse soulève ses haillons afin de leur montrer la cicatrice causée autrefois par la défense du sanglier.

Eumée et son ami le bouvier se jettent sur leur maître pour l'étreindre, le visage baigné de larmes.

— Cessez de pleurer, leur ordonne Ulysse, ou nous allons éveiller des soupçons. Rentrons à présent dans la grande salle, mais séparément. Eumée, quand je te ferai signe, tu m'apporteras l'arc et les flèches. Ensuite, assurez-vous que les portes sont fermées, celles de la demeure et celles de la cour. Que personne ne puisse prendre la fuite !

Ulysse retourne le premier dans la salle.

Tous les regards sont tournés vers Antinoos. À lui de prouver qu'il est capable de triompher de l'épreuve. S'il y parvient, Pénélope sera à lui. Mais Antinoos ne se fait pas d'illusions. Il sait qu'il n'a aucune chance. Alors, plutôt que de perdre la face en échouant à son tour, il cherche un prétexte pour interrompre le concours.

Antinoos fait semblant de se souvenir que le jour est mal choisi pour se livrer à un tel tournoi. N'est-ce pas en effet la fête du dieu Apollon ?

— Laissons cet arc pour aujourd'hui, propose-t-il, et reprenons ce jeu demain. Qu'on emplisse les coupes ! Qu'on fasse l'offrande à Apollon ! Buvons, mes amis !

Seul Ulysse ne partage pas l'enthousiasme général. Il n'a pas l'intention de laisser les prétendants s'en tirer aussi facilement. Sa voix s'élève dans la grande salle.

— Tu as raison de vouloir honorer les dieux comme il convient, Antinoos, dit-il. Tu nous feras admirer ta force demain. Mais prête-moi un instant ce bel arc. J'aimerais voir si mes mains ont gardé un peu de la vigueur qu'elles possédaient autrefois.

La déclaration du misérable vieillard est accueillie avec stupeur mais aussi avec un peu de crainte. Et si jamais il allait réussir là où tous les autres viennent d'échouer ? Antinoos ne peut imaginer une telle humiliation.

— Le vin te monte à la tête. Voici ce qui arrive quand on laisse les mendiants participer au festin ! Tu ferais mieux de rester tranquille dans ton coin. Quelle audace de vouloir te mesurer à nous !

Mais Pénélope intervient alors d'un ton plein d'autorité :

— Cet homme est mon hôte et celui de mon fils, Antinoos. Pourquoi l'empêcher de tenter sa chance ? Mais regarde-le. Crois-tu vraiment qu'il espère triompher et me prendre pour compagne ? Allez, vous vous inquiétez pour rien.

— Non, bien sûr, réplique l'un des prétendants, ce gueux n'oserait pas exiger les faveurs d'une reine. Mais suppose que son bras se révèle assez fort pour tendre l'arc. Que dirait-on de nous, qui avons échoué ? Nous ne pouvons risquer d'être déshonorés par le premier vagabond venu.

— Tu me parles d'honneur, toi qui avec tes pareils ruines la maison d'un héros ? Et que crains-tu donc ? Cet homme affirme être de sang noble et avoir connu la richesse. S'il réussit à ployer l'arc de mon cher Ulysse, je le récompenserai en lui offrant des vêtements neufs, une lance et un glaive. Puis je l'aiderai à se rendre là où il désire aller.

Soudain, Télémaque se dresse avec assurance.

— Ma mère, s'exclame-t-il, cette épreuve est une affaire d'hommes. C'est à moi qu'il appartient de décider qui peut ou non y participer. Regagne ta chambre et emmène tes servantes.

Pénélope reste un instant interloquée par la façon dont lui parle son fils. Mais elle sort sans protester, fière sans doute de constater que Télémaque n'est plus un enfant.

16

Le massacre

Eumée s'empare de l'arc pour l'apporter à Ulysse. Mais, autour de lui, les prétendants se déchaînent. Intimidé par les huées et les insultes, le porcher hésite.

— Avance donc ! lui crie Télémaque. Peut-être ne suis-je pas assez fort pour chasser d'ici tous ceux qui le méritent, mais je le suis assez pour te donner une bonne correction si tu ne m'obéis pas !

Les cris redoublent, cris de moquerie et cris de colère. Eumée enfin achève de traverser la salle. Ulysse prend l'arc et se met à l'examiner en connaisseur, craignant qu'après tant d'années il ne soit rongé par les vers.

— Regarde-le faire, souffle l'un des prétendants à son voisin. Il a l'air vieux et misérable mais, crois-moi, ce n'est pas la première fois qu'il manie un arc !

Ayant fini d'étudier son arme, Ulysse, satisfait, bande l'arc, sans effort apparent. On dirait un musicien qui tend une corde neuve pour l'attacher au cadre de son instrument. Puis, de sa main droite, le héros pince la corde et la fait chanter. Le son qui s'élève dans la salle évoque le chant de l'hirondelle.

Les prétendants cessent de rire. Devant la maîtrise et l'aisance de l'étranger, ils se sentent pâlir. Et, quand Zeus au-dehors fait soudain retentir son tonnerre, un terrible pressentiment les assaille.

Ulysse prend une flèche, place l'encoche sur la corde, l'ajuste, et tire…

La flèche jaillit, passe par le trou de chaque hache et touche son but, ayant franchi la rangée tout entière.

— Ton hôte te fait-il honneur ? demande Ulysse à Télémaque. N'ai-je pas visé juste ? Les prétendants, dirait-on, ont ravalé leurs insultes. Mais la fête ne fait que commencer. Voici venue l'heure du grand festin !

Télémaque comprend le signal. Aussitôt, il place une main sur la poignée de son glaive. Et, de l'autre, il s'empare de la lance posée près de lui.

En même temps, Ulysse arrache ses haillons. Quand il bondit au milieu de la salle, son arc à la main, toutes les flèches répandues à ses pieds, c'est un autre homme que découvrent les prétendants.

— C'en est terminé de ce jeu, annonce-t-il. Il y a ici de meilleures cibles. Et voici la première !

À cet instant, Antinoos est en train de lever sa belle coupe d'or pour boire un peu de vin. Jamais il n'achèvera son geste. La flèche d'Ulysse traverse sa gorge. La coupe tombe des mains d'Antinoos qui vacille puis s'effondre, frappé à mort. Dans sa chute, l'homme renverse la table et tous les mets qui s'y trouvent.

Stupeur, terreur, colère… la grande salle du palais est soudain en proie à un immense tumulte. Voyant le corps d'Antinoos étendu dans une mare de sang, les prétendants se sont levés, ont bousculé leurs fauteuils et se sont précipités vers les murs. Ils croyaient trouver là de quoi se défendre. La veille encore, des boucliers et des lances y étaient accrochés. Mais il n'y a plus rien.

— Qu'as-tu fait ? crie-t-on à Ulysse. Toi, l'étranger, qu'on a accueilli ici, tu viens de tuer le plus illustre d'entre nous. Tu vas le payer de ta vie. Et nous jetterons ton cadavre aux vautours !

Beaucoup veulent croire encore qu'Ulysse a touché Antinoos par maladresse. Ils refusent de comprendre ce que le destin leur réserve. La mort, pourtant, est déjà sur eux tous.

— Chiens ! s'exclame Ulysse. Vous pensiez donc que jamais je ne reviendrais de Troie. Et vous en profitiez ! Vous avez pillé ma maison, traîné mes servantes dans vos lits. Moi vivant, vous avez courtisé ma femme. Vous ne craigniez ni les dieux ni les hommes. Mais votre châtiment est proche.

De plus en plus terrifiés, les prétendants regardent autour d'eux, cherchant le moyen de fuir. L'un d'eux, Eurymaque, trouve cependant la force de répliquer.

— Ulysse ? Est-ce bien toi ? Alors, si tu es Ulysse, tu as mille fois raison. D'innombrables forfaits ont été commis dans ta demeure. Mais le principal responsable gît là, devant tes yeux. Car Antinoos ne courtisait pas seulement ta femme. C'est ton trône qu'il désirait. Et, pour régner sur Ithaque, il était prêt à tuer ton fils. Il a reçu son juste châtiment. Nous méritons tous ta colère mais épargne-nous. Nous te dédommagerons. Nous rembourserons au centuple ce qui t'a été volé en t'apportant de l'or et des troupeaux.

— Vous pourriez m'apporter tout ce que vous possédez que cela ne suffirait pas, réplique Ulysse. Plus rien n'arrêtera mon bras. Maintenant, choisissez ! Battez-vous ou fuyez ! Mais je ne pense pas qu'un seul d'entre vous échappera à son destin.

Son arc à la main, le héros de Troie regarde défaillir de crainte ces hommes naguère si fiers et arrogants. Eurymaque a compris qu'il était vain d'espérer le pardon d'Ulysse.

— Battons-nous ! crie-t-il. Sinon, il nous abattra l'un après l'autre, tant qu'il lui restera des flèches. Abritez-vous derrière les tables et tentez de sortir de cette salle. Courez en ville, qu'on vienne à notre secours !

À ces mots, Eurymaque tire son glaive. Mais Ulysse ne lui laisse pas le temps de lever son bras. Il le cloue sur place d'une flèche en pleine poitrine.

Alors commence le massacre. Quand un autre homme bondit à son tour en direction d'Ulysse, son arme à la main, il fait trois pas à peine : d'un coup précis, Télémaque lui plante sa lance entre les épaules. Mais le jeune homme est à présent désarmé et il sait qu'Ulysse ne tiendra pas longtemps avec ses quelques flèches.

— Père ! Je reviens. Je vais chercher de quoi poursuivre le combat.

Télémaque se rue vers l'endroit où ont été dissimulées les armes habituellement accrochées aux murs. Il prend des lances, des boucliers et des casques. Pour lui, pour Ulysse mais aussi pour les deux serviteurs fidèles, Eumée et le bouvier.

Tant qu'il a des flèches, Ulysse vise et tire, transperçant chaque fois l'un des prétendants. Ils sont maintenant nombreux à baigner dans leur sang. Quand son carquois est vide, il se coiffe d'un casque et s'empare d'un bouclier et de deux piques à pointe de bronze.

Le chevrier Mélanthée, qui a toujours pris parti pour les prétendants, connaît lui aussi l'existence de la chambre où ont été remisées les armes qui la veille encore ornaient la grande salle. Il s'y précipite à la suite de Télémaque et en revient chargé de lances, de casques et de boucliers.

Voyant ses ennemis couverts de bronze et brandissant des javelots acérés, Ulysse se sent défaillir. Comment pourrait-il venir à bout de tant d'hommes ainsi protégés ?

C'est alors qu'apparaît auprès du héros son vieil ami Mentor, qui fut le précepteur de Télémaque. Les prétendants, surpris, lui crient de s'écarter et le menacent de mort. Mais Ulysse, lui, a compris que sous l'apparence de son compagnon se dissimule une alliée beaucoup plus redoutable : la déesse Athéna.

— À l'aide, cher Mentor ! lui crie-t-il. Toi seul peux nous sauver.

Athéna lui adresse une réplique cinglante, comme pour stimuler son ardeur.

— Comment, Ulysse, as-tu perdu toute force et tout courage ? Toi qui t'es battu pendant près de dix ans à Troie pour les beaux yeux d'Hélène, qui as répandu là-bas tant de sang… de retour chez toi, tu ne sais plus que geindre ? Allez, unissons nos efforts et nous triompherons.

Malgré ces paroles guerrières, Athéna laisse à Ulysse et à Télémaque le soin de mener le combat. Elle veut que cette victoire soit la leur. Changée en hirondelle, elle prend son envol et va se percher sur une poutre. De là, cependant, rien ne l'empêche d'intervenir…

Des corps sans vie sont couchés un peu partout dans la salle. Les prétendants qui ont échappé au massacre se regroupent et cherchent le moyen de sauver leur peau.

— Tirons ! Six à la fois ! propose l'un d'eux. Il ne peut nous échapper.

Suivant son ordre, six des prétendants jettent ensemble leurs javelots. Mais, de son perchoir, Athéna veille sur son protégé. Elle fait dévier la course des piques qui vont se ficher dans les murs de la salle.

— À nous ! commande Ulysse.

Ils sont quatre. Ulysse, Télémaque, le porcher et le bouvier. Et, eux, ils touchent leurs cibles. Quatre nouveaux prétendants s'effondrent, frappés à mort. Les autres reculent, terrifiés. Ulysse et ses compagnons, pour leur part, avancent. Ils arrachent aux cadavres les piques qu'ils viennent de lancer. Et, une fois encore, ils visent juste tandis que les javelots de leurs adversaires s'égarent. À peine Télémaque sent-il une pointe érafler son poignet, et Eumée une pique lui frôler l'épaule.

Les prétendants, épouvantés, ont compris que pas un d'entre eux n'en réchappera. Ils savent qu'ils ne luttent pas seulement contre des hommes et que leur destin a été décidé par les dieux. Certains tentent néanmoins de se battre et d'autres de fuir, en vain. Les piques qui volent dans la grande salle sont aussi précises que des guêpes en été. Parfois, l'un d'eux implore Ulysse de l'épargner, jurant qu'il n'a pas participé au pillage du palais et qu'il a essayé de convaincre ses compagnons de festin de renoncer à leurs forfaits. Mais il n'y a plus place dans le cœur d'Ulysse pour la pitié.

Le massacre se poursuit tant qu'il reste un prétendant en vie, dans un bruit affreux de crânes fracassés. Le sol n'est plus qu'une mer de sang. Finalement, ils sont tous étendus dans une boue rouge, gisant en tas tels des poissons lâchés sur la rive par les filets.

Un homme cependant a échappé à la fureur d'Ulysse : l'aède qui a eu le tort de chanter pour les prétendants comme il chantait autrefois pour le roi d'Ithaque. Il supplie son maître de lui pardonner, affirmant qu'il prenait sa cithare contre son gré et uniquement pour ne pas désobéir aux ordres. À la demande de Télémaque, qui parle en sa faveur, Ulysse lui accorde sa grâce.

Le calme est revenu soudain dans la grande salle du palais. Les cris et les gémissements se sont tus. Ulysse contemple sans remords les victimes du carnage. On pourrait croire que son appétit de vengeance est rassasié. Mais il est dit qu'il se montrera impitoyable jusqu'au bout.

— Télémaque, va chercher ma vieille nourrice. Il me faut lui demander quelque chose.

Quelques instants plus tard, la servante découvre avec horreur son maître couvert de sang, pareil à un fauve qui vient de dévorer sa proie. Puis, voyant les corps étendus de ceux qu'il a massacrés, elle pousse une exclamation de triomphe.

— Réjouis-toi si tu veux, la réprimande Ulysse, mais fais-le en silence. Clamer sa joie devant la mort est un sacrilège. Les dieux ont récompensé ces hommes selon leurs mérites, voilà tout.

La nourrice baisse la tête, attendant que son maître lui dise ce qu'il attend d'elle.

— À toi de parler, maintenant, reprend Ulysse. Toi qui as vu tout ce qui s'est passé en mon absence, réponds-moi : quelles sont les servantes qui m'ont trahi, quelles sont celles qui m'ont été fidèles ?

— Je ne te cacherai rien, mon cher fils. Parmi les cinquante servantes que j'avais sous mes ordres, douze ont eu une conduite honteuse, sans respect pour toi ni pour la reine. Mais laisse-moi plutôt courir auprès de Pénélope, qu'elle sache enfin que tu es de retour !

— Non, non, pas encore. D'abord, fais venir ici les filles qui ont déshonoré ma demeure.

Aux douze femmes qui ont trahi sa confiance, Ulysse fait accomplir une horrible besogne. Il leur ordonne d'emporter hors de la salle les cadavres des prétendants massacrés. Ensuite, elles lavent les lieux à grande eau et chassent du palais la boue sanglante.

Quand cela est terminé, Télémaque conduit les malheureuses dans la cour. Là, elles sont suspendues par un lacet à un câble tendu et meurent, étranglées, leurs pieds s'agitant au-dessus du vide.

Ainsi s'achève la vengeance d'Ulysse. À sa vieille nourrice, il dit alors :

— Qu'on brûle du soufre dans cette demeure afin d'en purifier l'air. Ensuite, tu pourras prier Pénélope et ses suivantes de venir me rejoindre.

— Tu ne peux l'accueillir dans cette tenue, proteste la nourrice. Je vais t'apporter une robe et un manteau dignes de ton rang.

Mais Ulysse refuse. Jusqu'au bout, il veut éprouver le cœur de son épouse. Il a remis ses loques. C'est dans ses habits de mendiant qu'il désire se faire reconnaître d'elle.

17

Ulysse et Pénélope

Malgré son âge, la vieille nourrice bondit d'une marche à l'autre pour gravir l'escalier qui mène chez sa maîtresse. Elle rit toute seule à la pensée de la nouvelle qu'elle lui porte.

Pénélope dort paisiblement sur son lit.

— Lève-toi ! s'écrie la nourrice. Tes vœux les plus chers ont été exaucés. Ulysse est de retour. Lève-toi, te dis-je. Il t'attend. Tous les prétendants sont morts. Il les a massacrés !

Pénélope ouvre des yeux ensommeillés. D'un ton plein de reproche, elle répond :

— Toi, nourrice ? Toi que je croyais si sage ! Comment oses-tu me torturer ainsi ? As-tu perdu l'esprit ? Je dormais si bien… Une autre que toi, je l'aurais renvoyée sur-le-champ !

— Mon esprit va très bien ! Lève-toi, maîtresse ! Ulysse est là. Le mendiant, l'étranger que tu as vu… c'est lui. Seul Télémaque était dans le secret. Mais, maintenant que les prétendants ont été châtiés, la vérité peut éclater.

Pénélope, enfin, saute de son lit. Elle étreint la vieille femme, les yeux pleins de larmes. Pourtant, elle a encore du mal à admettre l'incroyable nouvelle.

— Comment serait-ce possible ? demande-t-elle. Les prétendants étaient trop nombreux pour qu'un homme seul puisse les abattre.

— Je n'ai rien vu de ce terrible massacre, admet la nourrice. J'étais terrée dans ma chambre comme les autres servantes. Quand Télémaque m'a fait venir, la grande salle était toute rouge de ce carnage. Tous les prétendants gisaient dans leur sang.

Voyant que Pénélope continue de douter, elle ajoute :

— Moi même, je l'ai reconnu lorsque je lui ai donné son bain. Car il porte cette cicatrice que lui a faite un sanglier dans sa jeunesse. Mais il m'a ordonné de me taire jusqu'à ce que sa vengeance soit accomplie.

— Très bien, dit la reine. Je vais aller voir par moi-même ce qui s'est passé. Oh ! J'aimerais tant te croire.

L'étranger est là, près du grand feu qui l'éclaire. Pénélope s'approche d'un pas chancelant, s'arrête. Ulysse garde les yeux baissés, silencieux. Pénélope l'examine longuement, incapable de prononcer le moindre mot. Parfois elle le reconnaît sous son déguisement. Parfois elle ne voit en lui que le misérable mendiant. Elle ne sait que penser. La voix de Télémaque la tire de sa stupeur, forte et dure :

— Vas-tu rester ainsi loin de lui, ma mère ? Ton mari est de retour et tu n'as rien à lui dire ? Voilà vingt ans qu'il est parti ! Faut-il que tu aies un cœur de pierre pour ne pas courir vers lui !

— Mon enfant, la surprise est telle ! Je suis si bouleversée… Non, je ne sais que dire. C'est à peine si j'ose lever les yeux sur lui. Mais, si Ulysse est vraiment revenu, nous nous reconnaîtrons sans peine car il est des choses que nous sommes seuls à connaître, lui et moi.

Entendant ces mots, Ulysse ne peut réprimer un sourire.

— C'est vrai, Télémaque, ta mère me reconnaîtra quand j'aurai quitté ces haillons sanglants. Pour l'instant, le dégoût la retient encore. Mais nous avons, je le crains, d'autres problèmes à régler. Songe à ce que nous avons fait. C'est la noble jeunesse d'Ithaque qui vient de périr dans cette salle. Comment échapper à la haine que ce massacre va nous valoir ?

— Je te fais confiance, père. Ta sagesse est légendaire.

— Il nous faut gagner du temps, décide Ulysse, et empêcher que la nouvelle ne se répande. Que toutes les servantes mettent des habits de fête et que l'aède nous chante ses airs les plus joyeux. Ainsi, tous, au-dehors, penseront que l'on célèbre ici une noce et que la reine a enfin choisi un nouvel époux parmi les prétendants.

Bientôt, le palais retentit du son de la cithare et du tumulte de la danse. Les pieds des hommes et des femmes font vibrer les murs. Et, dans la ville, on commence à murmurer que Pénélope a enfin renoncé à la solitude…

Pendant ce temps, la vieille nourrice a entrepris de laver Ulysse. Une fois baigné et frotté d'huile, le héros se couvre de vêtements neufs. Alors, Athéna lui rend sa beauté et sa majesté.

Se dressant ainsi face à sa femme, il lui lance :

— Vas-tu donc continuer de repousser l'homme que tu dis attendre depuis vingt ans ? Nourrice, prépare mon lit ! J'y dormirai seul puisque mon épouse a un cœur de pierre.

— Non, non ! s'écrie Pénélope. Tu es bien celui qui est parti loin d'Ithaque sur son navire, il y a si longtemps. Nourrice, fais porter ici même notre lit nuptial.

La chose est impossible et Pénélope le sait. C'est elle qui tend un piège à celui qu'on surnomme l'homme aux mille ruses. Et Ulysse s'y laisse prendre. Bouleversé, il s'exclame :

— Comment ? Qui donc a osé déplacer mon lit ? Et qui l'aurait pu sans l'aide d'un dieu ? Car cette couche, je l'ai sculptée moi-même dans le tronc d'un vieil olivier et j'ai de mes propres mains construit, pierre par pierre, la chambre nuptiale qui l'entoure ! Ce lit, il aura fallu le scier, car il était attaché aux racines !

Pénélope sourit. Ce secret, qu'elle partage avec Ulysse, aucun étranger ne pourrait le connaître. Cette fois, plus aucun doute n'est permis. Elle se jette au cou de son mari et l'embrasse, puis le supplie de lui pardonner.

— Oh ! Je t'ai tant attendu. Et je craignais tant qu'on ne cherche à me tromper une fois encore.

Alors, Ulysse et Pénélope s'étreignent longuement, en répandant des torrents de larmes. La nourrice s'est éclipsée pour aller préparer leur lit.

Ils ont tellement d'amour à se donner, ils ont tellement de choses à se dire qu'une seule nuit ne peut y suffire. Attentive jusqu'au bout au bonheur de son cher Ulysse, la déesse Athéna réalise un dernier prodige. Cette trop courte nuit de retrouvailles, elle l'allonge, elle l'étire, retenant l'aube au bord du monde.

Mais demain finira bien par venir.

Demain, Ulysse partira à la recherche de son père Laërte, qui pour oublier son chagrin vit dans les champs à la façon d'un pauvre paysan. Ensuite, il ira à la rencontre de son peuple. Et il n'aura pas trop de l'aide des dieux, d'Athéna et aussi de Zeus en personne, pour apaiser la colère soulevée par le massacre des prétendants et faire en sorte que revienne enfin la paix dans l'île d'Ithaque.

INDEX

Les dieux de l'Odyssée

Athéna : Fille de Zeus, Athéna naît d'une façon un peu particulière : elle sort du crâne de son père pourvue de ses armes. Elle sera donc déesse de la Guerre… mais aussi de la Sagesse. Athéna est pour Ulysse mieux qu'une alliée, une véritable amie d'une inébranlable fidélité. Les Romains la nomment Minerve.

Éole : Ce fils de Poséidon est le dieu des Vents, qu'il peut à son gré faire rugir ou bien calmer. Un archipel composé de sept îles porte encore son nom : les îles Éoliennes (au nord-est de la Sicile). Éole réside dans la plus grande, Lipari.

Hélios : Dieu du Soleil, il traverse chaque jour les cieux d'est en ouest, sur son char tiré par quatre chevaux, apportant ainsi la lumière du jour. Hélios est le père de la magicienne Circé.

Le fameux colosse de Rhodes, statue qui figure parmi les sept « merveilles du monde », représentait le dieu Hélios.

Hermès : Engendré par Zeus et Maia, elle-même fille du Titan Atlas, Hermès est le messager des dieux. Représenté avec un chapeau et des sandales ailés, il file comme le vent. C'est lui aussi qui est chargé de conduire les âmes vers le royaume des morts. Parmi ses multiples autres fonctions, Hermès est le dieu des Voleurs, des Menteurs et… des Marchands. Pour les Romains, c'est Mercure.

Poséidon : Frère de Zeus, Poséidon a la mer pour principal royaume. Ce dieu colérique et rancunier a été l'allié des Grecs pendant la guerre de Troie. Il poursuit néanmoins Ulysse de sa haine après que le héros a crevé l'œil unique du Cyclope Polyphème, l'un de ses innombrables rejetons (parmi lesquels Triton et Pégase). Les Romains l'appellent Neptune.

Zeus : Maître de l'Olympe, régnant sur la Terre comme au Ciel, Zeus n'est cependant pas un dieu créateur. Fils des Titans Cronos et Rhéa, il prend le pouvoir à l'âge adulte et le partage avec ses frères Poséidon et Hadès (qui ont respectivement en charge le monde marin et le monde souterrain). Pour les autres dieux comme pour les hommes, Zeus est une sorte de père protecteur. Zeus a pour épouse sa propre sœur Héra, mais on lui prête de nombreuses aventures avec déesses et mortelles. De ces unions naissent quantité de divinités et de héros. Chez les Romains, son nom est Jupiter.

Ulysse et les siens

Laërte : Père d'Ulysse et époux d'Anticlée. Désespérant de revoir son fils, Anticlée a succombé au chagrin. Le vieux Laërte, lui, s'est retiré du monde et vit seul à la campagne.

Pénélope : Fille d'Icarios, roi de Sparte, Pénélope est l'épouse d'Ulysse. D'une fidélité sans faille, elle l'attend pendant vingt ans, repoussant les avances de ses nombreux prétendants. Pénélope est la mère de Télémaque.

Télémaque : Fils d'Ulysse et de Pénélope. Télémaque veille avec courage sur sa mère, attendant le retour de ce père qu'il n'a pour ainsi dire pas connu.

Ulysse : Fils de Laërte et d'Anticlée, Ulysse règne sur l'île d'Ithaque auprès de son épouse Pénélope qui lui a donné un héritier, Télémaque.

Dans *l'Iliade*, on voit comment il participe à l'interminable siège de Troie aux côtés des guerriers grecs. C'est grâce à la ruse du cheval de Troie imaginée par Ulysse que les Grecs parviennent enfin à s'introduire dans la cité. *L'Odyssée* raconte le long et cruel voyage de retour. Parti de Troie avec un nombreux équipage, Ulysse triomphe de tous les périls mais il est le seul survivant de la terrible épopée. Quand il revient à Ithaque, son absence a duré environ vingt ans.

Les personnages et les lieux de l'Odyssée

Calypso : Calypso est une nymphe, c'est-à-dire une divinité mineure incarnant dans le corps d'une jolie femme un élément de la Nature (source, fleuve, mer, montagne, etc.). Amoureuse d'Ulysse qu'elle a recueilli après son naufrage, elle le retient prisonnier pendant sept ans. On dit qu'elle s'est laissée mourir de chagrin après le départ du héros.

Il est difficile de dire avec certitude où se trouve la grotte de Calypso. Certains situent son île dans le golfe de Tarente (sous la « semelle » de la fameuse « botte » italienne). Mais d'autres estiment que le radeau d'Ulysse l'a emmené beaucoup plus loin, jusqu'à la côte d'Afrique, à la hauteur de Gibraltar. La grotte de Calypso serait donc en réalité sur le continent africain et non sur une île.

Charybde et Scylla : Ces deux monstres marins gardent le détroit de Messine, entre l'Italie et la Sicile. Du côté sicilien, Charybde, fille de Poséidon, avale puis recrache tout ce qui passe à sa portée : eau, bateaux ou êtres humains. Si on échappe à ce tourbillon, Scylla guette du côté italien. Il s'agit d'une créature pourvue de douze pattes et de six têtes de chien portées par autant de cous interminables. L'idée qu'il est difficile de survivre au premier péril sans succomber au second a donné naissance à l'expression « tomber de Charybde en Scylla ».

Circé : Fille du dieu du Soleil, Hélios, Circé est une magicienne possédant un art consommé des poisons et des philtres. Elle a la redoutable manie de transformer ses visiteurs en animaux : porcs, lions, loups ou autres. Son île n'en est pas vraiment une. Il s'agit probablement du Monte Circeo (dont le nom évoque celui de Circé), sur la côte italienne, au nord du golfe de Naples.

Les Lotophages : Ce peuple fabuleux réside dans l'actuelle île de Djerba, au sud-est de la Tunisie. Les Lotophages ne se nourrissent probablement pas de fleurs de lotus, comme on le dit généralement, mais plutôt d'un fruit mystérieux ressemblant sans doute à la datte. Ce fruit a la propriété d'apporter l'oubli à qui le consomme.

Nausicaa : Nausicaa est une simple mortelle, ce qui fait d'elle, dans *l'Odyssée*, un personnage exceptionnel. Elle est la fille du roi des Phéaciens, Alcinoos, et de son épouse Arété. Quant à Alcinoos, la légende veut qu'il soit le petit-fils du dieu Poséidon.

L'île des Phéaciens, qu'on appelle au temps d'Homère Schéria plutôt que Phéacie, porte aujourd'hui le nom de Corfou. Elle se situe au nord-ouest de la Grèce, près de la frontière albanaise.

Polyphème : Fils de Poséidon, Polyphème est un Cyclope, soit un géant pourvu d'un œil unique. Quoique amateur de chair humaine, il consacre son temps à garder des moutons et des chèvres. Il semble que par cette image d'homme-montagne au front percé d'un œil énorme on ait voulu symboliser le volcan. L'île des Cyclopes est donc certainement une île volcanique. Certains estiment qu'il s'agit de la Sicile, d'autres la situent de préférence près de Naples.

Les Sirènes : Contrairement à ce qu'on pourrait penser, les Sirènes ne sont pas des femmes-poissons mais des femmes-oiseaux. Elles guettent les malheureux qui passent à proximité de leur repaire (quelque part au sud du golfe de Naples) et les ensorcellent de leurs chants. On dit qu'humiliées par la ruse d'Ulysse elles se sont jetées à la mer du haut de leur rocher.

DE TROIE À ITHAQUE :

1. Départ de Troie
2. Les Ciconiens (sur la côte de Thrace)
3. Les Lotophages (île de Djerba)
4. Le Cyclope (golfe de Naples)
5. Éole (Stromboli)
6. Les Lestrygons (nord de la Sardaigne)
7. Circé (île d'Aiaiè, au sud de Rome)

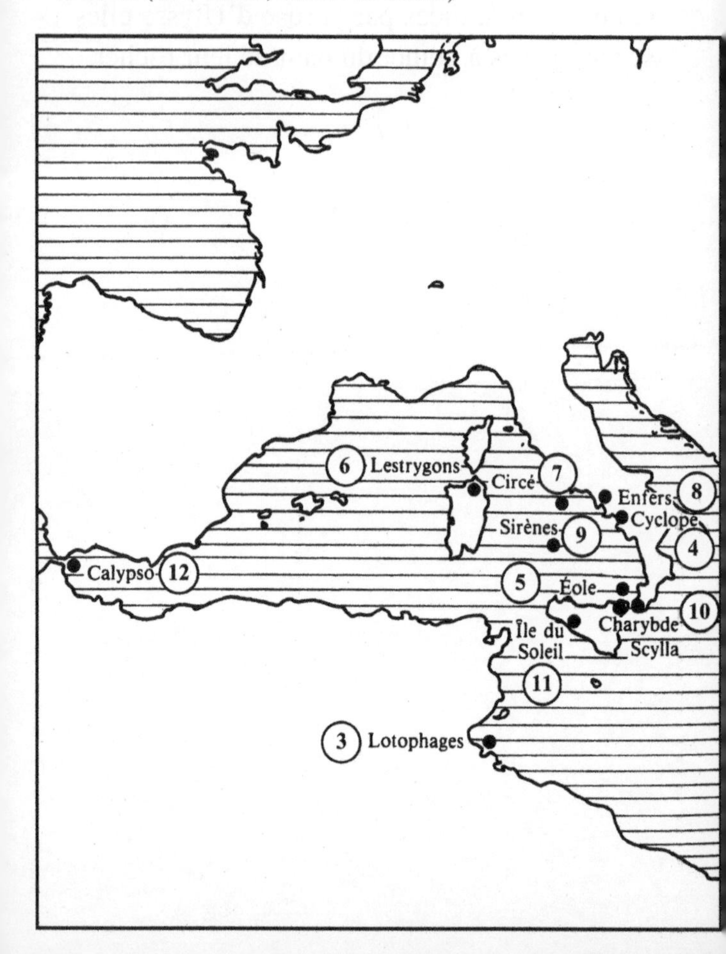

LE PÉRIPLE D'ULYSSE

8. Les Enfers (le pays des Cimmériens, lac Averne)
9. Les Sirènes (au large de Capri)
10. Charybde et Scylla (détroit de Messine)
11. Île du Soleil (Sicile)
12. Calypso (île d'Ogygie, détroit de Gibraltar)
13. Les Phéaciens (Corfou)
14. Ithaque

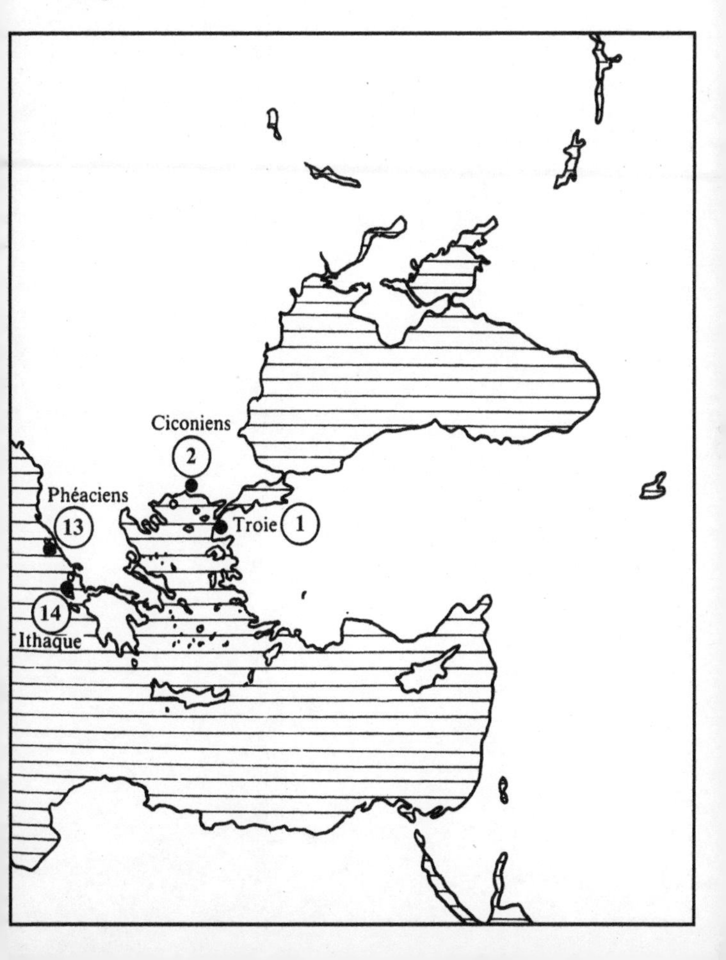

Table des matières

1. L'assemblée des dieux 5
2. Le palais d'Ulysse 10
3. Prisonnier de Calypso 21
4. Nausicaa 33
5. Le récit d'Ulysse : Polyphème le Cyclope . 45
6. Le récit d'Ulysse : Circé 58
7. Le récit d'Ulysse : Le royaume des morts .. 68
8. Le récit d'Ulysse : Charybde et Scylla 73
9. Le retour à Ithaque 83
10. Eumée 92
11. Le retour de Télémaque 98
12. Ulysse le mendiant 109
13. Le duel des mendiants 120

14. Le bain de pieds 128
15. L'épreuve de l'arc 137
16. Le massacre 144
17. Ulysse et Pénélope 155

Les dieux de l'Odyssée 161
Ulysse et les siens 164
Les personnages et les lieux de l'Odyssée 166
Carte 170

Cet ouvrage a été composé par
Francisco *Compo* - 61290 Longny-au-Perche

Cet ouvrage a été imprimé en France par

à Saint-Amand-Montrond (Cher)
en mars 2013

N° d'impression : 2001420.
Dépôt légal : janvier 2005.
Suite du premier tirage : avril 2013.

Pocket Jeunesse, une marque d'Univers Poche,
est un éditeur qui s'engage pour
la préservation de son environnement
et qui utilise du papier fabriqué à partir
de bois provenant de forêts gérées
de manière responsable.

12, avenue d'Italie – 75627 PARIS Cedex 13